SÍNDROME PRÉ-MENSTRUAL

CB081259

LIVROS PARA UMA NOVA CONSCIÊNCIA

GROUND

SÍNDROME PRÉ-MENSTRUAL

Carlson Wade

© 1984, Carlson Wade
Título original: *Carlson Wade's PMS BOOK*

EQUIPE DE REALIZAÇÃO

Tradução: Sílvia Branco Sarzana
Supervisão Gráfica: Alvaro Castello Branco
Diagramação e Revisão (Coord.): Fernando de B. Gião
Revisão: Edson O. Rodrigues
Vera Lúcia F. P. Gião
Capa: Mário Diniz
Arte-Final: Paulo S. Cassales
Composição: TECHNEWS - Tecnologia em Composição

Dados de Catalogação na Publicação (CIP) Internacional
(Câmara Brasileira do Livro, SP, Brasil)

Wade, Carlson.
Síndrome pré-menstrual / Carlson Wade ; [tradução do inglês]. -- São Paulo : Ground, 1989.

ISBN 85-260-0216-3

1. Síndrome pré-menstrual I. Título.

CDD-618.172072
89-0567 NLM-WP 550

Índices para catálogo sistemático:

1. Síndrome pré-menstrual : Medicina 618.172072
2. Tensão pré-menstrual : Medicina 618.172072

Direitos reservados:
EDITORA GROUND LTDA.
(Uma divisão da **global editora e distribuidora ltda.**)

Rua França Pinto, 836
Fone: (011) 572-4473
Cep 04016 – V. Mariana
Cx. Postal 45329
São Paulo – SP

Rua Mariz e Barros, 39
conjs. 26/36
Fone: (021) 273-5944
Cep 20270 – Tijuca
Rio de Janeiro – RJ

Nº de catálogo: **2061**

SUMÁRIO

Por que eu? Por que todo mês?

Por que passamos quase metade de cada mês nos sentindo infelizes, miseráveis, doloridas, com alterações freqüentes de humor, que são, muitas vezes, incompreensíveis para nós mesmas, quanto mais para as pessoas que nos rodeiam?

Por que continuarmos a aceitar rótulos tais como "temperamentais", "impossíveis", "mal-humoradas" e tantos outros, sem compreendermos exatamente o que nos acontece?

Na verdade sabemos, desde o início de nossa vida menstrual, que tais alterações estão associadas à menstruação. O que não sabemos, porém, é quais são as suas causas e como fazer para cortar esse mal pela raiz.

A Síndrome Pré-Menstrual, este é o nome do problema, apresenta-se sob gama variada de sintomas e tudo o que fazemos é, conformadamente, aceitá-los como parte do fato de sermos mulheres.

Das muitas mulheres com as quais conversei a esse respeito, várias nem sequer tinham ouvido falar da SPM, outras tinham vaga noção e pouquíssimas já tinham ouvido falar dela. Aparentemente, os próprios ginecologistas brasileiros ainda não se conscientizaram da extensão dessa condição e muitos ainda a tratam de Tensão Pré-Menstrual.

E a SPM vai seguindo seu caminho, nos atormentando e fazendo-nos atormentar a vida daqueles que conosco convivem.

Não precisamos passar por isso. Podemos viver felizes e plenamente. De que maneira? Começando pela informação. É preciso saber, conhecer aquilo que nos acontece mensalmente. Depois, é preciso divulgar esse conhecimento. Estendê-lo a uma grande rede de mulheres, para que juntas possamos conscientizar toda a sociedade, voltando a atenção para um processo que, embora natural, pode ter conseqüências desastrosas.

E um bom começo é a leitura deste livro. Um livro fácil, gostoso e estimulante, que, tenho certeza, fará com que você, como eu, se ache em algumas das inúmeras situações apresentadas e que, o que é melhor, aponta a solução para os problemas causados pela SPM.

Leia, conscientize-se, divulgue! Divulgue até para o seu médico. Questione. A SPM é difícil de ser esquecida. Todos os meses somos obrigadas a conviver com ela. E se antes achavamos que este era um problema sem solução e que deveríamos carregar esse fardo pelo resto de nossa vida reprodutiva, este livro tem no mínimo, a qualidade de nos mostrar que isso não é verdade. Podemos lutar contra esse "monstro" e vencê-lo. Experimente!

SILVIA BRANCO SARZANA

1

OS MITOS DA MENSTRUAÇÃO

Através das eras, muitas sociedades têm rotulado de "sujas" as mulheres menstruadas. Outras as consideram perigosas. A superstição era tão forte em algumas sociedades, que se acreditava que todo um rebanho poderia perecer se chegasse perto de uma mulher que se encontrasse em seu período "sujo". As mulheres de certas tribos eram instruídas para se manterem fora das vistas dos homens e nunca deveriam tocar em roupas, utensílios de cozinha ou esteiras de dormir, que eram utilizadas pelos homens, pelo medo de que a contaminação causasse uma epidemia. Mesmo hoje, em algumas sociedades, as mulheres menstruadas são consideradas tabu.

A menstruação é um processo perfeitamente natural e saudável, mas que, para muitos, ainda se encontra envolta em mistério. É por isso que a Síndrome Pré-Menstrual (SPM) está em evidência. Alguns mitos se encontram ainda tão arraigadas, que deixam muitas mulheres (e homens) apreensivas e mesmo temerosas em relação a este processo biológico.

O filósofo grego Aristóteles (284 — 322 a. C.) declarou que "o olhar de uma mulher menstruada tira o polimento da superfície e se tal olhar cai sobre uma pessoa, esta fica enfeitiçada". Este ponto de vista era compartilhado pelo filósofo romano Plínio, o Velho (23 — 79 a. C.), em seu *História Natural*, onde ele avisava que despir o corpo de uma mulher menstruada dava-lhe poder de parar relâmpagos, furacões e chuvas de granizo: "Nada é mais notável do que o fluxo menstrual das mulheres. Ao seu contato, o vinho novo azeda, as colheitas estragam, as plantas enxertadas morrem, as sementes dos jardins secam, os frutos das árvores caem, a superfície brilhante dos espelhos, na qual simplesmente se refletem, se turva, o fio de aço e o brilho do mármore se perdem, as colméias morrem, até o bronze e o ferro são atingidos pela ferrugem e um cheiro horrível se espalha pelo ar; ao senti-lo, os cães ficam loucos e sua mordida transmite um veneno sem antídoto''.

Segundo algumas crenças, para Eolo, o deus grego dos ventos, uma mulher, que se encontrasse no meio de seu período mensal, estava também em contato direto com as estrelas e possuía poderes mágicos.

Todas essas superstições podem ter surgido por uma única razão. Os antigos encaravam o ciclo de sangramento mensal como algo mágico: uma mulher podia atravessá-lo sem morrer. Ela obviamente tinha a misteriosa capacidade de sangrar e depois se recuperar... mês após mês. Os primitivos pareciam não perceber o fato de que as mulheres não sangravam durante a gravidez e período de amamentação. Também não percebiam que os animais sangravam, quando no cio.

O conhecido ginecologista Niels H. Lauersen, M.D., do Mount Sinai Medical Center, em New York, que devotou muitos anos de pesquisa à melhor compreensão da SPM, nos diz: ''Algumas religiões, que permanecem até hoje, encaravam — e algumas vezes ainda encaram — esta ocorrência saudável e natural como repugnante. Quando as mulheres muçulmanas estão menstruadas, são proibidas de entrar nas mesquitas. As mulheres de fé grega ortodoxa, no começo deste século, não podiam falar com quem quer que fosse durante seus períodos mestruais. Na própria história da Igreja Católica, houve um período em que o ato sexual durante o período menstrual era considerado como pecado. Muito embora a menstruação faça na mulher uma admirável limpeza interna, a religião judaica ortodoxa considera como dias ''limpos'' da mulher apenas aqueles *após* o período menstrual, quando ela se encontra imersa num banho purificador.

Este sentimento não se limita a uma única etnia ou grupo cultural. Muito pelo contrário: os pesquisadores observam que esta mesma aversão supersticiosa existe em todo o mundo. Caroline Shreeve, M.D., médica britânica, observa, por exemplo, que ''em algumas tribos australianas, uma mulher menstruada é severamente repreendida ou espancada por seu marido ou parentes mais próximos, se ela esquece de avisar aos homens, que dela se aproximam, de sua condição.

''Em outras tribos daquele continente, a segregacão das mulheres menstruadas é ainda mais rígida e reforçada por penalidades piores do que essa. Se, durante seu período menstrual, uma mulher da tribo Wakelbura entra no acampamento pelo mesmo caminho utilizado pelos homens, pode ser condenada à morte.

''Os bosquímanos da África do Sul acreditam que um olhar de uma garota, que se encontra naquele período em que deveria ser mantida em retiro total, pode paralisar os homens na posição em que estiverem, com o que quer que estejam segurando nas mãos, e transformá-los em árvores capazes de falar.

''Algumas sociedades temiam a chegada da puberdade feminina até mesmo mais que o próprio fluxo menstrual. Entre os zulus e alguns outros povos africanos, as próprias garotas acreditam que o brilho do sol sobre suas cabeças durante a chegada de seu primeiro período menstrual pode transformá-las em esqueletos. É por isso que se escondem sob os arbustos, com as cabeças cobertas, até que o sol se ponha, logo aos primeiros sinais da menstruação, de modo a evitar que sejam surpreendidas enquanto estão trabalhando no campo ou pegando lenha.''

Durante a primeira parte do século XX, os mesmos temores dos poderes mágicos da menstruação persistiram. A Dra. Shreeve observa que, na Nova Guiné, as garotas em pré-puberdade eram confinadas em pequenas jaulas por quatro ou cinco anos antes e depois da chegada da puberdade. Eram mantidas reclusas no escuro e proibidas de colocar o pé para fora. Quando este período de confinamento terminava. eram liberadas para seus compromissos de casamento.

De qualquer modo, seja por medo, ignorância ou superstição, a mulher menstruada tem sido tradicionalmente proscrita ou evitada. Simone de Beauvoir relata que, na França, acredita-se que uma mulher menstruada causa reação adversa sobre a defumação do *bacon,* a fermentação da cidra e o refinamento do açúcar. No Extremo Oriente, não se permite que as mulheres menstruadas auxiliem na colheita do arroz, por medo de que possam prejudicar a colheita. Na África do Sul, o rebanho leiteiro é mantido afastado das mulheres menstruadas, por medo de que sua presença coalhe o leite das vacas.

Desde os tempos de Hipócrates, os curandeiros já associavam as crises emocionais à menstruação. ''As mulheres tornavam-se inúteis, não abençoadas, devido a este ciclo de sangue'', diz o psiquiatra Ronald V. Norris, M. D., do Pré-menstrual Syndrome Program, Inc., de Lynnfield, Massachusetts. ''Algumas sociedades colocam uma distância segura entre as mulheres menstruadas e os demais elementos, banindo tais mulheres, durante seus períodos, para áreas especiais — cabanas, tendas ou encostas separadas exatamente para este propósito. Este tabu era reforçado para proteger o grupo dos prejuizos à colheita e das explosões temperamentais associados às mulheres menstruadas.

''Algumas dessas culturas aparentemente achavam que havia um veneno ou ''menotoxina'' no sangue menstrual. Em parte tal idéia era inferida das mudanças dramáticas nas funções orgânicas, nas atitudes e comportamentos que algumas mulheres apresentavam a cada mês, antes do fluxo menstrual. Tão logo o fluxo começasse, ou poucos dias após o mesmo, o comportamento da mulher retornava ao estado normal.

"Os povos primitivos achavam que um agente tóxico ou espírito causava as mudanças dramáticas antes da menstruação e, uma vez iniciado o fluxo, a toxina era eliminada, ou lavada, pelo sangue menstrual."

Mesmo em tempos mais recentes, esta função biológica permaneceu envolta em mistério e superstição. Em alguns de seus trabalhos, Sigmund Freud sustentava que era a "inveja do pênis" que criava tal revolta emocional nas mulheres. Segundo os teóricos freudianos, as mulheres têm inveja do orgão sexual masculino. Negando-o, as mulheres atravessam crises de "histeria", paralisia temporária e uma longa lista de problemas psicossomáticos. Para eles, os homens deveriam manter distância segura dessas mulheres histéricas ou deveriam confiná-las, o que, sem dúvida, só serve para aumentar o problema.

Embora tal teoria pudesse satisfazer ao grupo freudiano, não foi considerado muito sensata por psicólogos mais recentes, que relegaram tal teoria à categoria de superstição. Uma escritora moderna, Sheila Macleod, que relata sua experiência com a SPM, em seu livro *The Art of Starvation* [1] nos diz: "Sinto desapontar ortodoxos, mas NÃO sentia inveja do pênis e não me achava de maneira nenhuma mutilada... Ficava muito mais horrorizada e desgostosa com a menstruação do que com a sexualidade. Achava que alguma punição terrível me havia sido imposta, punição por um crime que nunca havia cometido. Mas acho que eu sentia, inconscientemente, que tal crime era duplo: estava sendo punida por ser mulher e por ter crescido".

Sheila Macleod comenta depois que apenas as garotas, e não os rapazes, têm esta sensação de punição durante a adolescência, porque "as mudanças femininas eram tradicionalmente consideradas como impróprias para a discussão aberta. O desenvolvimento dos rapazes foi sempre tratado como sinal de virilidade".

SÍNDROME X TENSÃO

Ao longo do século XIX, o processo da menstruação deu origem a muitas noções estranhas. Em 1879, o *British Medical Journal* debateu a questão da contaminação dos alimentos pelo contato com mulheres mens-

1. *A Arte da Fome.*

truadas. Quando se perguntou a este mesmo periódico da possibilidade de se permitir às mulheres cursarem medicina, a resposta foi: "Se tais resultados prejudiciais ocorrem com a defumacão de carne morta, enquanto a mulher está menstruada, quais seriam os resultados, sob as mesmas condições, se ela tentasse curar carne viva na obstetrícia ou prática cirúrgica?"

Além do temor ao sangue, a menstruação provocava uma outra reação, que poderia ser responsável pela atitude de que as mulheres eram inferiores, porque não conseguiam controlar seus próprios corpos — ou seja, sofriam de tensão emocional. De fato, a síndrome pré-menstrual foi originalmente chamada de *tensão* pré-menstrual, por causa das alterações físicas e mentais que freqüentemente afligiam as mulheres durante seus períodos.

Um pesquisador pioneiro ajudou a esclarecer esta condição. Robert T. Frank, M.D., de New York, metódica e cuidadosamente investigou a síndrome e a ela se referiu, em 1931, como tensão pré-menstrual. Preparou um trabalho, "As Causas da Tensão Pré-Mestrual", e o apresentou num encontro de Seção de Neurologia e Psiquiatria da Academia de Medicina de New York. Visava a uma compreensão maior desse processo biológico, começando assim seu trabalho:

"Minha atenção foi fortemente dirigida para um grupo grande de mulheres, que eram afetadas por distúrbios pré-menstruais de natureza diversa. É bem sabido que mulheres normais sofrem vários graus de desconforto antes da chegada da menstruação. Os empregadores que sabem desse fato, fazem previsões para a ausência temporária de suas funcionárias. Tais distúrbios menores incluem aumento da fadiga, irritabilidade, ausência de concentração e ataques de dor.

"Num outro grupo de pacientes, os sintomas são de gravidade suficiente para exigir o repouso por um ou dois dias. Nesse grupo, particularmente, a dor desempenha papel predominante. Há, ainda, um grupo de pacientes nas quais graves desordem sistêmicas se manifestam predominantemente durante o período pré-menstrual."

Em relação a este último grupo, o Dr. Frank relata que as mulheres "se queixam de cansaço e irritabilidade, de estarem com "os nervos à flor da pele" e de um desejo de encontrar alívio através de ações tolas e consideradas doentias. Seu sofrimento pessoal é intenso e se manifesta em muitas ações negligentes e, algumas vezes, repreensíveis. Elas não apenas percebem seu próprio sofrimento, como também ficam com a consciência pesada em relação a seus maridos e famílias, sabendo bem que suas atitudes e comportamentos estão insuportáveis.

"Em uma ou duas horas após o início do fluxo menstrual, alcançam alívio completo tanto em relação à tensão física quanto à tensão mental."

Segundo o Dr. Frank, casos suaves dessa "tensão" podem ser tratados com diuréticos; para aqueles em que há edema ou excessiva retenção de água, o diurético foi útil. Nos casos mais sérios, ele utilizou a radiação nos ovários. Esta pesquisa do Dr. Frank foi um marco, abrindo os portões para uma pesquisa mais intensa. Logo se tornou visível que a tensão era uma parte do quadro, que passou a ser considerado como uma síndrome. E tudo isso serviu para alertar o público para o fato de que a desordem emocional era uma parte bastante real da condição.

Porém, só em 1947 é que uma dupla de médicos, Harvey E. Billing Jr. e S. Arthur Spaulding Jr., conseguiu colocar a condição na sua perspectiva adequada. Perceberam que muitos dos sintomas da SPM poderiam ser tratados com complementos nutricionais, vitaminas do complexo B e correção da hipoglicemia (baixa taxa de açúcar no sangue).

Num artigo da *Industrial Medicine*, relataram, que havia uma "síndrome clínica notável freqüente nas mulheres, que consistia numa série de sintomas: a queima de energia vários dias antes da menstruação (tensão pré-menstrual, fácil irritação e baixa capacidade de suportar dor). Tais pacientes, exatamente antes da menstruação, sentiam extrema necessidade de fazer coisas tais como limpar a casa, lavar roupas etc.

Tornam-se hiperirritáveis, ferinas, admitindo ser "difícil conviver com elas". Invariavelmente, encontram manchas azuis e negras em seus corpos e freqüentemente não sabem como surgiram. Praticamente todas ficam irritáveis e hipersensíveis e tendem a recuar quando alguém as toca. Em geral, há um histórico de queixas constantes de dores radiculares periféricas (ao redor dos nervos), que é geralmente a queixa feita.

Todas admitirão prontamente que "não podem resistir à dor". Em muitas, há considerável dificuldades domésticas que, freqüentemente, constituem um problema sério. Uma porcentagem regular das mulheres apresenta um histórico de necessidade de se alimentar ("beliscar") entre as refeições e de um aumento de tensão nervosa, quando deixam de fazer alguma refeição. Ainda um número surpreendente delas alimenta-se pouco pela manhã e é basicamente o almoço e os lanches à tarde que "as fazem se sentir melhor".

Billig e Spaulding comentam que testes de tolerância à glicose mostraram que tais mulheres apresentam um quadro hipoglicêmico exatamente antes da chegada da menstruação. Isso sugere que a nutrição poderia acalmar os sintomas e controlar e até mesmo acabar com algumas das violentas reações da condição.

Foi só em 1953 que uma conhecida médica britânica, Katharina Dalton, ela própria apresentando sintomas sérios, decidiu denominar tal condição de Síndrome Pré-Menstrual (SPM). Num artigo, em co-autoria com Raymond Greene, no *British Medical Journal*, a Dra. Dalton ofereceu uma melhor compreensão da condicão e deu-lhe um nome adequado:

"O termo 'tensão pré-menstrual' é insatisfatório, pois tensão é apenas um dos muitos componentes da síndrome. Seu uso tem levado ao não reconhecimento da desordem, quando a tensão está ausente ou encoberta por uma queixa mais séria.

"Temos preferido utilizar o termo "síndrome pré-menstrual", mas com o progresso de nossa pesquisa, tornou-se claro que tal denominação também não é satisfatória.

"Embora a síndrome ocorra mais comumente na fase pré-menstrual, sintomas semelhantes ocorrem ocasionalmente na fase da ovulação, no início do ciclo, e até mais raramente, logo no primeiro ou segundo dia após cessar o fluxo.

"A denominação 'síndrome menstrual', embora correta, pois para cada mulher os sintomas ocorrem em intervalos mensais, pode criar erroneamente a impressão de que eles ocorrem apenas durante a menstruação.

"Finalmente, decidimos manter a denominação síndrome pré-menstrual, embora reconhecendo sua imperfeição. A elucidação completa de suas causas poderá, posteriormente, sugerir uma nomenclatura mais precisa e adequada."

O National Institute of Child Health and Human Development[2] forneceu uma definição oficial dessa condição:

"Síndrome Pré-Menstrual (SPM) é o nome dado ao grupo de mudanças físicas e comportamentais, que podem afetar algumas mulheres num período de mais ou menos uma semana ou exatamente antes da menstruação.

"Por motivos inexplicáveis, tais mulheres sofrem, durante esse período, de angústia e tensão, que vão desde patamares moderados até aqueles bem sérios. Podem experimentar inchaço abdominal, fadiga, irritabilidade ou mau-humor.

"Freqüentemente podem fazer e dizer coisas que afastam a família e os amigos. Podem ainda desenvolver auto-imagens negativas, durante as tentativas que fazem para lutar contra sintomas sérios."

2. Instituto Nacional de Desenvolvimento Humano e Saúde da Criança. (N. T.)

A SPM EM VÍTIMAS FAMOSAS

Um certo número de celebridades, tanto no passado quanto em tempos recentes, apresentou distúrbios emocionais de natureza cíclica periódica, que levaram os endocrinologistas a crer que a culpada fosse a SPM. Exemplos:

Rainha Vitória

Em seu livro *Once a Month*[3], a Dra. Katharina Dalton descreve as explosões emocionais e os acessos de mau-humor da Rainha Vitória, aos dezoito anos. Ela gritava e atirava objetos no Príncipe Albert, seu marido, achando falhas em tudo o que ele fazia. Apenas quando a rainha ficava grávida é que se mostrava um pouco mais racional. Observadores notaram que ela tinha essas crises não apenas em relação a seu marido, mas também em relação a todos os que a cercavam, num padrão cíclico.

Maria Callas

Esta brilhante cantora de ópera era também conhecida por suas explosões temperamentais. Sua biógrafa, Arianna Stassinopoulos, num livro intitulado *Maria Callas,* fala num padrão de tais incidentes. As explosões negativas, ataques de sinusite e grandes comilanças (ela engordava repentinamente) importunavam a diva do final do ciclo mensal até os primeiros dez dias do ciclo seguinte. Em contraste, permanecia feliz, serena e racional durante metade do mês.

Judy Garland

A estrela menina não teve qualquer dificuldade aparente durante a sua infância. Mas, posteriormente, com a aproximação da puberdade, passou a apresentar um comportamento irracional, que poderia ser atribuído à SPM. Tinha também explosões temperamentais, crises de bebedeira, preocupações a respeito de com quem seu marido estava naquele exato momento, discussões com seus filhos. Sua volatibilidade, emocionalismo, mudanças súbitas de humor, depressão e insônia pioraram após o nascimento de seus

3. *Uma Vez por Mês*. (N. T.)

três filhos, segundo o biógrafo Christopher Finch, em *Rainbow*[4]. Ela sofria alterações de humor, compulsão por comida e problemas de peso. Tornou-se dependente de anfetaminas e álcool. É possível que os problemas periódicos estivessem relacionados à SPM.

Joan Crawford

Explosões violentas foram descritas no livro *Mommie Dearest*[5] pela atriz Christina Crawford, sua enteada. A veterana atriz tinha explosões de temperamento sem motivo, que aterrorizavam sua enteada. Na biografia, há referências freqüentes ao padrão cíclico de tais explosões.

Mary Todd Lincoln

Esposa do presidente, foi descrita, freqüentemente, como uma mulher dada a explosões emocionais, depressão e enxaquecas. Tais sintomas eram mais sérios após o nascimento de cada um de seus filhos. Em sua biografia, *Sra. Abraham Lincoln*, o autor W. A. Evans conta que a Sra. Lincoln era conhecida por suas explosões histéricas. Segundo o autor, ela escreveu a uma amiga, após o nascimento de Tad, seu quarto filho, nascido em 1853: "Tenho estado seriamente doente. (Minha doença é de natureza feminina e, você compreende, vem se acelerando enormemente, devido aos três últimos anos de sofrimento mental.)" É também descrita como tendo alterações agudas de humor. "Não era fácil de entender por que uma senhora, que num dia era tão gentil, tão generosa, tão compreensiva, tão solícita, tão cheia de esperança, pudesse, no dia seguinte, ser tão irrazoável, tão irritável, tão desanimada... e tão propensa a ver o lado negativo, escuro e errado tanto dos homens, mulheres quanto de acontecimentos."

Sylvia Plath

Esta poetisa famosa, autora de *The Bell Jar*[6] e outros trabalhos aclamados, foi vítima de suicídio. Em sua autobiografia, semi-acabada, *The Journals of Sylvia Plath*[7], ela descreve a sinusite e as alterações de humor, que iam e vinham num ciclo mensal. Fala de dias bons e ruins. O final e o início de cada mês deixavam-na num estado ainda pior de depressão, com

4. *Arco-Íris* (N. T.)
5. Na versão em português, *Mãezinha Querida* (N. T.)
6. *A Redoma* (N. T.)
7. *O Diário de Sylvia Plath* (N. T.)

pensamentos suicidas e sentimentos violentos. O período intermediário do mês era brilhante. De qualquer modo, é preciso um conhecimento mais detalhado para que se possa chegar a uma avaliação final. Mas, baseados em nossos novos conhecimentos sobre as alterações de humor da síndrome pré-menstrual, podemos muito bem acreditar que a depressão suicida de Sylvia Plath foi devida a um distúrbio hormonal.

2

O QUE É A SÍNDROME PRÉ-MENSTRUAL (SPM)

A SPM é uma reação multifacetada ocasionada pela atividade cíclica da rede hipotalâmica-pituitária-ovariana. É caracterizada por muitos sintomas que ocorrem regularmente, na mesma fase de cada ciclo menstrual, fase essa que é sucedida por outra livre de sintomas.

"Síndrome Pré-Menstrual (SPM) é a denominação empregada para uma série de sintomas e alterações orgânicas, que ocorrem durante um período de duas semanas, antes de cada período menstrual", explica Brooks Ranney, M.D., do American College of Obstetricians and Gynecologists[1]. "Nem todas as mulheres a apresentam, mas muitas a têm em algum grau. Segundo os especialistas, cerca de 12% de todas as mulheres em idade menstrual sofrem de sintomas de desconforto num grau suficiente para procurarem tratamento médico, deixando de ir ao trabalho ou, de algum modo, interrompendo suas rotinas diárias." Entre tais sintomas, de acordo com o Dr. Ranney, encontram-se "a tensão nervosa, a irritabilidade, a fadiga, as mudanças de humor, confusão mental, inchaço geral, aumento de peso devido à retenção de água nos tecidos, sensibilidade das mamas, dores no baixo ventre, dores lombares e dores de cabeça latejantes".

O Dr. Ranney explica que "as causas precisas não são conhecidas, mas, uma vez que os sintomas ocorrem com tal regularidade em algumas mulheres, as causas parecem estar relacionadas ao ciclo hormonal". Durante a primeira parte de cada ciclo, "os ovários produzem o hormônio feminino chamado estrógeno. Após a ovulação, um segundo hormônio, a progesterona, é produzido também. Este hormônio é essencial à manutenção da saúde durante os primeiros estágios da gravidez. Ele torna o

1. Colégio Americano de Obstetras e Ginecologistas. (N. T.)

revestimento do útero (endométrio) mais espesso, estocando alimento e tornando o útero túrgido. Também causa uma retenção de sódio, proveniente do sal, em todos os tecidos do organismo, o que faz com que os espaços intertissulares sejam preenchidos por água e outros fluidos, causando inchaço. Alguns sintomas pré-menstruais podem ser causados por essa turgescência no útero, pélvis, abdômen, pernas, fígado ou cérebro'', explica o Dr. Ranney.

Porém, ele também aponta para o fato de que ''embora a SPM seja um problema real para algumas mulheres, os médicos envolvidos na pesquisa sobre o assunto advertem contra o perigo de se culpar a síndrome por todos os problemas e queixas. Uma vez que muitos dos sintomas não podem ser testados ou medidos, os médicos sugerem que, se você suspeita de que tenha SPM, deve anotar, durante cada ciclo menstrual, quais são os sintomas e quando eles surgem. Essa é a maneira mais clara de você e seu médico poderem determinar se você sofre de SPM''.

É difícil preparar gráficos exatos sobre como a condição se apresenta. Muitas mulheres preferem ''sofrer em silêncio'' a terem de procurar auxílio e, assim, não podem ser numericamente identificadas. Mas temos alguns dados fornecidos por James L. Breen, M.D., antigo presidente do American College of Obstetricians and Gynecologists, segundo os quais: ''Uma em cada cinco mulheres, entre as idades de 25 a 40 anos, pode sofrer de SPM, o que a deixa temporariamente incapaz. Os sintomas vão desde a depressão, agressividade, irritabilidade e ansiedade até mudanças de humor, tensão nervosa e desejo de comer. Os sintomas físicos incluem retenção de líquidos, dores de cabeça, acne, fadiga, e exaustão.'' Ele acrescenta que embora ''a maioria das mulheres possa lutar contra as formas *suaves* da SPM, outras, com SPM severa, apresentando stress físico e emocional, podem ser esmagadas por ela''.

Algumas mulheres (apesar de minoria) não apresentam qualquer sintoma da SPM e, assim, não são incluídas em qualquer levantamento. Isso é explicado por Niels H. Lauersen, M.D., e Zoe R. Graves, Ph.D., do Departamento de Ginecologia e Obstetrícia da New York City's Mount Sinai School of Medicine[2].

''Num estudo realizado em 1965, a SPM foi definida como uma combinação de características físicas ou emocionais, que ocorriam ciclicamente nas mulheres antes da menstruacão e que regrediam ou desapareciam, quando a menstruação chegava ao fim.

''Os pesquisadores relatam que, segundo sua definição, apenas 3% de

2. Escola de Medicina Monte Sinai da Cidade de New York (N. T.)

seu grupo de estudo, formado por mulheres jovens e saudáveis, escapariam de ser classificadas como portadoras de SPM. Assim, é importante distinguir entre pacientes que descrevem alterações pré-menstruais como toleráveis ou "normais" daquelas que descrevem seus sintomas como debilitantes."

Os Drs. Lauersen e Graves fizeram uma lista de tais sintomas: inchaço, sensibilidade dos seios, irritabilidade, tensão, ansiedade, depressão, dores de cabeça, crises de choro, aumento de apetite, necessidade de ingerir doces, aumento de peso, pruridos, acne e dores nas juntas. Eles concordam que a incidência exata da Síndrome Pré-Menstrual é difícil de ser determinada. Um pesquisador observou sintomas de SPM em 40% de mulheres consideradas saudáveis; outro observou a presença de SPM em 36% das mulheres que trabalham e um outro, ainda, relatou que 31,9% de 232 mulheres com SPM não tinham qualquer doença orgânica que pudesse explicar seus sintomas.

De acordo com o Medical and Pharmaceutical Information Bureau Inc.[3], "cerca de 76% das mulheres com idades variando entre os quinze e os quarenta e quatro anos, sofrem de cólicas menstruais, segundo estudos de pesquisa de mercado. Mais de 90% de todas as mulheres grávidas experimentam pelo menos alguns sintomas de SPM, que podem ir além das manifestações emocionais, tais como irritabilidade e depressão, e incluem inchaço e cólicas entre outros sintomas".

É importante distinguir a SPM da dismenorréia, termo médico utilizado para indicar a menstruação dolorosa. Esta é basicamente causada por cólicas uterinas, que variam em intensidade. Dores de cabeça, dores lombares, diarréias e náuseas são sintomas associados. Segundo o National Institute of Health[4], "numa recente pesquisa recente sobre a saúde de mulheres adolescentes, mais da metade relatou a presenca de dores durante a menstruação".

A dismenorréia geralmente só ocorre num período entre seis a doze meses após a menarca (o início do período menstrual, comumente entre os dez e os dezessete anos), quando o sistema reprodutor feminino já está completamente desenvolvido e a ovulação ocorre regularmente. Essa desordem parece afetar mais mulheres jovens e mulheres que *não* tiveram filhos do que aquelas que já deram à luz.

Médicos especialistas da Upjohn Company, em Kalamazoo, Michigan, explicam: "A dismenorréia, ou menstruação dolorosa, afeta cerca de

3. Departamento de Informação Médica e Farmacêutica. (N. T.)
4. Instituto Nacional de Saúde. (N. T.)

metade da população feminina adulta. Acredita-se que 10% delas fiquem incapacitadas por pelo menos várias horas a cada mês, muitas delas por um dia ou mais.

"Em termos econômicos, dados mais acessíveis indicam que mais de 140 milhões de horas de trabalho são perdidas anualmente pela população estimada em 3,5 milhões de mulheres americanas que sofrem de dismenorréia severa. Com a dor e o tempo vem a desordem emocional."

Em outras palavras, a dismenorréia e a SPM são responsáveis por mais horas de trabalho perdidas do que resfriados e gripes.

DUAS TEORIAS SOBRE SPM

A causa exata da SPM ainda está sendo examinada. Até o momento, há duas correntes teóricas básicas sobre as possíveis causas:

1. Um desequilíbrio hormonal originado de distúrbios no desenvolvimento ou ritmo da seção pituitária-hipotalâmica do cérebro — a central distribuidora do cérebro e vital para o desempenho das funções realizadas pelas glândulas endócrinas.

2. Níveis excessivos de estrógeno (hormônio feminino), níveis inadequados de progesterona (outro hormônio), deficiência de vitaminas do complexo B e de magnésio e hipoglicemia.

Qualquer que seja a causa, sabemos o que a SPM é real e não imaginária. G. Timothy Johnson, M.D., da Harvard Medical School[5], explica da seguinte maneira: "Algo acontece fisiologicamente em algumas mulheres, entre o período da ovulação e o início real da menstruação — a assim chamada fase lútea do ciclo mensal.

"Durante este período, as mulheres efetadas pela SPM tipicamente se queixam de uma ampla gama de sintomas físicos e emocionais. As queixas emocionais mais comuns são as de depressão e ansiedade e os sintomas físicos incluem, entre outras coisas, retenção de líquidos no organismo, diminuição da coordenação muscular e mamas túrgidas. É importante salientar que ambos os sintomas, físicos e emocionais, são cíclicos: ocorrem apenas durante uma parte do ciclo mensal e não persistem durante o restante

5. Escola de Medicina de Harvard. (N. T.)

do mês, terminando exatamente antes ou durante as primeiros poucos dias de sangramento.''

O dr. Johnson descreve a teoria popular de que um desequilíbrio nos níveis hormonais estrógeno-progesterona leva às manifestações físico-emocionais da SPM. Mas ele acrescenta que ''não há ainda métodos de laboratório seguros para a diagnose dessa condição''. O tratamento, segundo o pesquisador, é ainda feito ao acaso. A maioria dos médicos sugere iniciar com uma terapia conservadora — uma dieta que reduza a ingestão, pelas mulheres, de carboidratos simples, programas de exercícios regulares e vitamina B_6 (embora não haja qualquer prova de sua efetividade).

Pelo menos uma em cada quatro mulheres portadoras de SPM severa tentou suicídio ou maltratou seu marido ou filhos, segundo William R. Keye., do Centro Médico da Universidade de Utah, em Salt Lake City. ''Eu estudei 89 mulheres diagnosticadas como portadoras de SPM severa. Esta ocasiona uma ruptura da personalidade normal, bem como de outros processos orgânicos.''

O Dr. Keye nos oferece estas descobertas surpreendentes:

- 79% já consideraram seriamente o suicídio; 12% tentaram.
- Mais da metade sofria de *stress* emocional moderado ou severo.
- 17% sofriam de outros problemas físicos não diagnosticados.
- 80% eram tratadas com progesterona.

O Dr. Keye sentiu que muitas mulheres com sintomas severos poderiam ter reações violentas. ''Muito embora tais mulheres sofressem de tais efeitos severos antes da menstruação, a maior parte delas sentia-se muito bem em outros períodos.

VOCÊ TEM SPM ?

A dor e o desconforto que você sente uma vez por mês pode ser devida à SPM ou outras causas. É importante saber que a SPM é uma condição camaleão — freqüentemente acredita-se que seja alguma coisa a mais. E é também uma condição bastante complexa. Nenhum teste sanguíneo poderá lhe dizer se você tem SPM (mas ele pode indicar a presença de uma outra desordem). Portanto, você deve fazer um esforço para se autodiagnosticar. Primeiro, é preciso determinar se os seus sintomas estão relacionados ao seu ciclo menstrual. Se assim for, você pode encontrar alívio. Faça uma lista e verifique se há sintomas que ocorrem *regularmente*, exatamente antes de seu período menstrual. Os sintomas devem ocorrer *regularmente*, precisamente nessa época. Sintomas tais como dores de cabeça, nervosismo, cólicas, aumento de apetite, crises de choro ou depressão, ocorrendo isoladamente ou com outros sintomas, exatamente antes de seu período menstrual, podem indicar SPM.

Anote também se o *início* de seu período menstrual traz alívio para tais sintomas. Isso também pode indicar SPM. Uma boa idéia é fazer um *check up* físico geral e/ou ginecocológico, para verificar se não há qualquer causa orgânica para os seus sintomas. Coopere com seu médico na diagnose da SPM. Uma vez identificada, você pode receber orientação para lutar contra ela.

SINTOMAS E CARACTERÍSTICAS DA SPM

A SPM é caracterizada por uma ampla gama de sintomas físicos e emocionais, que ocorrem num mesmo período de cada ciclo menstrual. Os sintomas geralmente desaparecem quando o ciclo se inicia e tornam a ocorrer apenas depois dc uma fase livre de sintomas, após a menstruação. Nenhuma mulher experimentará todos os sintomas físicos e emocionais relacionados abaixo; normalmente apresenta vários, mas não todos.

SINTOMAS FÍSICOS

Sensação de inchaço | *Mudança dos hábitos intestinais*
Aumento de peso | *Alterações de apetite*
Dor/sensibilidade das mamas | *Sede*
Rubores quentes | *Inchaço abdominal*
Dor de cabeça | *Inflamação nasal*
Dores pélvicas | *Retenção de líquidos*
Desordens na pele

SINTOMAS EMOCIONAIS

Irritabilidade | *Insônia*
Agressividade | *Crises de choro*

Tensão	*Perda da concentração*
Ansiedade	*Fraca coordenação motora*
Depressão	*Alterações de humor*
Letargia	*Confusão*

Outras características da SPM incluem:

- Reação adversa aos contraceptivos orais (mulheres com SPM geralmente toleram pouco a pílula).
- Alívio dos sintomas durante os últimos seis meses da gravidez.
- Desenvolvimento de toxemia durante a gravidez.
- Depressão prolongada após o parto.
- Atribuição errônea dos sintomas da SPM à ''menopausa precoce''.
- Piora dos sintomas com a idade.
- História familiar de mulheres com sintomas semelhantes, embora não diagnosticados como SPM.

Outros fatos sobre a SPM:

- Estima-se que quatro de cada dez mulheres sofrem de SPM em alguma época de suas vidas, variando apenas em grau.
- Os sintomas pioram com a idade. A SPM dificilmente poderá ser sentida nos primeiros anos da adolescência. É mais comum entre os vinte e os trinta anos e freqüentemente mais séria ao redor dos trinta e cinco anos.
- A SPM ataca mulheres de todas as culturas, raças e idades. Para 10% das portadoras, a SPM é suficientemente severa para causar sérias rupturas em suas vidas pessoais e profissionais.
- A SPM causa uma perda anual de dez bilhões de dólares à indústria americana, devido ao absenteísmo e à baixa produtividade.
- Os sintomas da SPM começam num período que varia entre catorze e um dia antes da menstruação. A SPM caracteriza-se também por um período livre de sintomas de pelo menos uma semana após o cessar da menstruação.

Para que o tratamento da SPM tenha sucesso, é preciso que seja adaptado a cada mulher em particular. Inclui freqüentemente uma combinação de dieta e nutrição, apoio emocional, educação física e, quando os sintomas são severos, suplementos hormonais. Estes métodos serão discutidos mais detalhadamente em outros capítulos deste livro.

É preciso falar ainda sobre uma condição denominada amenorréia, que consiste na perda da menstruação. Tal condição pode ser causada por desordens hormonais, bem como por excessiva atividade física, como o *jogging*, o ciclismo e a dança excessiva, e o *stress*. Os períodos menstruais podem ser interrompidos, porque o exercício constante causa perda de peso e alteração no equilíbrio hormonal.

Muito embora, durante o período de amenorréia, seja pouco provável que a mulher sofra de SPM, ela ainda é suscetível a alguns de seus sintomas. Seu organismo acumula estrógeno, por causa do período menstrual suprimido, e este estrógeno permanece no sistema, não sendo liberado através do fluxo normal. O acúmulo de estrógeno pode ocasionar dores de cabeça e outras reações.

Se você tem ocasionalmente um ou mais períodos menstruais suprimidos, seria bom fazer um *check up*. Com menos atividade física e menos *stress* emocional, seus hormônios retornarão ao equilíbrio e seus ciclos se regularizarão.

3

ESPERANÇA E AUXÍLIO PARA SEUS HORMÔNIOS

De acordo com o Instituto Nacional de Saúde, "os hormônios desempenham um importante papel no funcionamento adequado do ciclo menstrual. E com a melhor compreensão de como controlar as desordens hormonais, pode-se encontrar uma maneira de dar alívio a muitos dos sintomas da SPM.

O Instituto Nacional de Saúde nos oferece uma explicação completa de todo o processo menstrual. Note o grande envolvimento do sistema endócrino e dos hormônios por ele produzidos. "O início da menstruação (menarca) constitui um marco dramático na transformação da menina em mulher. Ocorre geralmente entre os dez e os dezesseis anos e a chegada da menstruação significa que a garota está adquirindo a capacidade de procriar.

"No início, o ciclo pode ser irregular. Em geral, o ciclo menstrual regular se estabelece no final do primeiro ano após a menarca. Interrompe-se apenas durante a gravidez ou problemas específicos de saúde, continuando mês após mês até que a mulher atinja seus quarenta ou cinqüenta anos, quando cessa a menstruação (menopausa). O ciclo típico tem cerca de vinte e oito dias, mas também são comuns ciclos que variam entre vinte e quatro e trinta dias. Normalmente, cada mulher tem um padrão estabelecido, muito embora o *stress*, as doenças e o uso de contraceptivos orais possam alterar temporariamente seu ciclo.

"Durante cada ciclo, a parede interna ou revestimento (endométrio) do útero se espessa, de modo a oferecer um meio adequado à gravidez. Um óvulo maduro é liberado de um dos dois ovários na metade do ciclo (ovulação) e permanece no trato reprodutivo por cerca de três dias. Para que a gravidez ocorra, o óvulo deve ser fertilizado por um espermatozóide. Se isso não ocorrer, o revestimento do útero se rompe e é eliminado como fluxo menstrual, durante um período que varia entre três e oito dias.

"Embora os órgãos reprodutivos estejam situados na área pélvica do corpo, o ciclo reprodutivo é controlado por uma região da base do cérebro, que contém a hipotálamo e a hipófise (glândula pituitária). Ambos regem as atividades do ciclo menstrual, enviando mensagens do tipo "pare" e "siga", a cada mês, para os ovários e o útero.

"No primeiro dia da menstruação, os níveis hormonais são baixos. Mas, após uma semana e durante a maior parte do restante do ciclo, *estrógenos* são produzidos, de maneira a promover a ovulação e estimular o desenvolvimento do endométrio. Durante esse período, os estrógenos contribuem para a produção de um meio adequado à fertilização e con seqüente implantação e nutrição do pequeno embrião nos orgãos reprodutores. A produção de estrógeno cai poucos dias antes do início do ciclo seguinte.

"O *progesterona*, um hormônio produzido em grandes quantidades durante a segunda metade do ciclo, estimula o desenvolvimento do endométrio, na preparação para a gravidez. Se a fertilização não ocorrer, os níveis de progesterona diminuem e a menstruação começa. Se a fetilização ocorrer, a produção de progesterona continua durante os nove meses, para ajudar a manter a gravidez.

"Outras substâncias semelhantes a hormônios, as *prostaglandinas*, também são produzidas durante a segunda metade do ciclo. Embora o papel das prostaglandinas não seja completamente compreendido, acredita-se que estimulem as contrações uterinas conhecidas como cólicas, durante o período menstrual. As prostaglandinas talvez sejam um dos possíveis fatores que dão início ao parto."

Pesquisas médicas têm confirmado que as cólicas e outros sintomas da SPM são causados pelas prostaglandinas. Se você experimenta mais do que uma dor "média", provavelmente possui níveis mais elevados dessa substância no organismo.

Devido ao fato de algumas dessas prostaglandinas escaparem para a sua corrente sanguínea, podem afetar outros músculos lisos involuntários. Esta é uma das razões pelas quais algumas mulheres sofrem de dores nas costas, náuseas, diarréias, vertigens, ondas de calor e frio, febre e tensão emocional, juntamente com as cólicas dolorosas.

O Instituto Nacional de Saúde realizou também um estudo abrangente a respeito da complexa inter-relação das funções hipotalâmicas, hipofisárias e ovarianas. Uma nova teoria sustenta que certos mensageiros químicos (os neuropéptides), provenientes da hipófise, podem ser a causa das alterações de humor e comportamento causados pela SPM. O objetivo é bloquear a ação desses neuropéptides e, assim, controlar as reações emocionais.

STRESS E SPM

Basicamente, é o hipotálamo que controla o ciclo menstrual. Este segmento cerebral inicia a liberação de gonadotrofina (um hormônio folículo-estimulante), que estimula a secreção de outros hormônios cerebrais provenientes da hipófise. Assim, o seu ciclo se inicia. Mas há um vilão, que pode causar desordens no ritmo. É o *stress*. Ele pode perturbar seu delicado hipotámo. Pode levar confusão aos seus peptídios cerebrais (moléculas de aminoácidos), de modo a impedir que eles enviem sinais normais de transmissão nervosa, que influenciam as relações de trabalho entre o hipotálamo e a hipófise.

Antes de tudo, os sinais cerebrais, que iniciam as flutuações hormonais, são, em primeiro lugar, suscetíveis ao *stress*. A SPM também resulta dessas flutuações hormonais. Se você está sob condições de *stress*, há inibição da liberação de hormônios. Na verdade, você tem uma deficiência hormonal, que pode causar um desequilíbrio sério, resultando em SPM.

A SPM E A VIOLÊNCIA

Foi a conhecida ginecologista britânica Katharina Dalton, ela própria vítima da SPM, quem alertou o mundo para os perigos das desordens hormonais. Segundo a médica, 49% das 156 mulheres condenadas por roubo, prostituição e embriaguez cometeram seus crimes exatamente antes ou durante a menstruação. Das 43 mulheres (27%) que se queixaram de sintomas pré-menstruais, 63% cometeram seus crimes na época em que apresentavam os sintomas.

A Dra. Dalton comentou que a tensão, que acompanha a SPM, deixa a mulher à mercê de seus hormônios. Ela não consegue evitar a violência, especialmente em relação àqueles que lhe são mais próximos.

Ronald V. Norris, de Lynnfield, Massachusetts, um psiquiatra que se especializou em SPM, nos alerta para a possibilidade de que "alguns atos violentos cometidos por mulheres podem ser resultantes de um estado de ânimo extremamente exacerbado". Ele nos fala de um estudo sobre comportamento agressivo realizado com mulheres da prisão de Massachusetts. "Entrevistamos seis mulheres sentenciadas por assassinato (três das vítimas eram maridos, duas eram crianças e uma era o amante). Estes seis casos apresentavam em comum duas coisas surpreendentes: os crimes ocorreram no dia anterior ou no primeiro dia da mestruação e todas as seis mulheres poderiam ser descritas como donas-de-casa meigas e tranqüilas."

Segundo o Dr. Norris, "explosões de raiva, arremesso de objetos e ocasiões em que pensamentos criminosos ocorrem são extremamente comuns em mulheres com SPM. A maioria dessas mulheres, uma vez ou outra, quando seu *stress* ou dor, diz que se torna zangada, vociferante ou que já teve um acidente de carro, atirou alguma coisa ou sentiu como se quisesse atirar algo ou agir contra alguém".

A Dra. Dalton tem testemunhado em inúmeros casos judiciais, envolvendo mulheres, que cometem crimes violentos, incluindo assassinato. No *British Medical Journal,* ela explica que as vítimas da SPM podem ser objeto de estados de ânimo violentos. Além disso, se a mulher com SPM fica sem se alimentar por longos intervalos de tempo, pode ficar hipoglicêmica. Isso faz com que haja um acúmulo de adrenalina e uma elevação dos níveis desse hormônio é que pode levar a mulher a se tornar enraivecida.

A Dra. Dalton foi testemunha no julgamento de uma garota inglesa, que caiu num estado de violência extrema, durante um encontro com um rapaz. Antes que a noite terminasse, ela entrou em seu carro e dirigiu-o diretamente para o homem, matando-o. Foi acusada de assassinato pelo uso de uma arma mortal (seu carro). Para a Dra. Dalton, a SPM era uma das muitas condições a serem consideradas. Era preciso considerar também a ingestão de bebidas alcoólicas antes da ocorrência. Isso provavelmente exacerbou os sintomas da SPM e a garota foi hormonalmente dirigida para cometer o crime.

Para muitas mulheres, os sintomas da SPM podem variar desde explosões temperamentais de curta duração até atos de violência mais chocantes, que podem acabar com a vida de outras pessoas... e com as delas próprias.

OS QUATRO GRUPOS DA SPM

Guy E. Abraham, M. D., de Rolling Hills Estate, Califórnia, subdividiu a SPM em quatro grupos principais. Cada um deles tem sintomas específicos; embora possa haver alguma superposição. Este ex-professor da UCLA, que se especializou em SPM, verificou que as elevações dos níveis hormonais podem ser subjugadas através de uma identificação inicial do grupo específico e de uma orientação nutricional.

GRUPO 1 - SPM-A (Ansiedade)

Sintomas: As queixas principais são de tensão nervosa, irritabilidade e alterações de humor, começando ao redor de duas semanas antes do início do período e tornando-se progressivamente piores, algumas vezes acompanhadas por depressão, que pode variar entre suave e moderada, e melhorando com o início da menstruação.

Causas: Elevação dos níveis de estrógenos na corrente sanguínea. Tais estrógenos ovarianos estimulam o sistema nervoso central a produzir *stress* físico. Um outro hormônio ovariano, a progesterona, reduz a atividade do sistema nervoso central, acalmando o efeito produzido pelos estrógenos. Mas, durante a SPM, ambos os hormônios são produzidos em quantidades desequilibradas e isso gera a SPM-A.

Tratamento: Reduzir a ingestão de produtos derivados do leite, de açúcar refinado e gordura animal. Aumentar a ingestão de magnésio e de vitaminas do complexo B. Fazer exercícios uma vez por dia, para acalmar a tensão.

GRUPO 2 - SPM - C (Comilança)

Sintomas: Aumento do apetite uma ou duas semanas antes da chegada da menstruação. Você sente uma vontade exagerada de comer chocolates ou outros doces, especialmente quando sob *stress*. Algumas poucas horas após satisfazer sua vontade, você se sente fraca e fatigada, com o coração martelando e com dor-de-cabeça. Você pode ter palpitações ou calafrios.

Causas: O açúcar refinado estimula a liberação de insulina, mas numa quantidade superior às suas necessidades. A alta quantidade de insulina reduz o nível de glicose do sangue. A deficiência de uma prostaglandina, chamada PGE1, pode também estar envolvida. Ela inibe a resposta da insulina ao açúcar e minimiza as respostas nervosas ao decréscimo da glicose sanguínea.

Tratamento: Corte as gorduras de origem animal. Use mais óleos de origem vegetal; o ácido cis-linoléico da alimentação libera a PGE1. O óleo de açafrão não refinado e não cozido é fonte básica de ácido cis-linoléico. Aumente também a ingestão de magnésio, zinco, Vitaminas B_3, B_6 e C.

Uma boa fonte de magnésio são os cereais integrais, as hortaliças de folhas verdes e os legumes.

GRUPO 3 - SPM - H (Hiper-hidratação)

Sintomas: Sensação de aumento de peso alguns dias antes do período; inchaço do rosto, mãos e pés. Os anéis não servem mais. Os sapatos ficam apertados. As roupas também ficam apertadas na cintura. Você se sente inchada, com sensibilidade e turgescência nos seios e baixo abdômen. Freqüentemente, o aumento de peso não ultrapassa 1,5 kg, mas você se sente como se estivesse engordado muito mais.

Causas: Retenção de água. O nível elevado dos hormônios das glândulas supra-renais, que controlam a retenção de sal e água pelos rins. Um hormônio cerebral (ACTH) estimula a produção desses hormônios relacionados à retenção de sal. O excesso de carboidratos refinados na alimentação aumenta a secreção de serotonina pelo cérebro, o que cria essa reação. O *stress* também ativa a liberação, pelas glândulas supra-renais, de quantidades excessivas de hormônios ligados à retenção de sal, o que potencia o efeito sal-absorvente da insulina.

Tratamento: Quantidades elevadas de vitamina B_6 e magnésio prescritas por médico; redução da ingestão de sal e açúcar; redução da ingestão de gorduras de origem animal. Aumentar o uso de óleos vegetais. A vitamina E ajuda a aliviar as dores nos seios.

GRUPO 4 - SPM - D (Depressão)

Sintomas: Reações de retraimento, depressão, crises de choro fácil, alterações de humor e comportamento, contemplação da idéia de suicídio. Insônia, memória fraca, sensação de letargia e dificuldade de verbalização.

Causas: Geralmente, formas de hipoglicemia. Há uma redução dos níveis sanguíneos de estrógenos e, em contraste, uma elevação dos níveis de progesterona. Novamente isso indica desordem hormonal. O envenenamento crônico por chumbo causa depressão. O chumbo bloqueia o efeito do estrógeno nos tecidos-alvo, mas não afeta o efeito da progesterona. Uma vez que os níveis de progesterona são elevados durante as duas últimas semanas do ciclo menstrual, seu efeito depressor não é contrabalançado pelo estrógeno, devido ao bloqueio realizado pelo chumbo sobre o estrógeno. O *stress* crônico estimula os hormônios das supra-renais a causar desordens no equilíbrio endócrino, em indivíduos suscetíveis.

Tratamento: É importante verificar a intoxicação por chumbo e, então, eliminar esse problema através de uma dieta adequada. A ingestão apropriada de magnésio impede o envenenamento por chumbo, ao diminuir a absorção e aumentar a excreção do mesmo.

A SPM-D exige cuidados médicos adequados e não deve ser encarada com leviandade.

O Dr. Abraham acha que o efeito de "montanha-russa" da SPM deve ser tratado desde o seu surgimento, para ajudar tanto a paciente quanto as pessoas próximas a ela.

Reduzindo os Sintomas

Como minorar os problemas causados pela SPM? O guia geral dado a seguir, baseado em pesquisas recentes provenientes de várias fontes médicas, poderá ajudá-la a lutar contra ela.

1. Verifique se você tem SPM. Você pode suspeitar que sim, mas há alguma incerteza. É preciso, então, elencar seus sintomas. Se tiver realmente a condição, siga o restante do programa. Compreenda que você não está sozinha. Esta é uma condição biológica e não psicológica e você pode aliviar os sintomas, fazendo um ajuste em seu estilo de vida.

2. Discuta a SPM com outras pessoas. Encare-a. Você precisa, para isso, de apoio moral, de simpatia, do auxílio dos outros — de seu marido, de outros membros da família, talvez até de seus chefes ou superiores. Você não pode lutar sozinha sempre. Assim, compreenda que o auxílio dos outros é essencial.

3. Equilibre a sua ingestão de açúcar. A SPM, para muitas mulheres, é uma reação acompanhada pela hipoglicemia. Você pode acalmar os sintomas ingerindo refeições menores e mais freqüentes. Reduza a ingestão de gorduras. Aumente a ingestão de carboidratos complexos (frutas e hortaliças frescas, cereais integrais). Isso ajuda a reduzir o *stress* em todo o seu ciclo, especialmente após a ovulação. É preciso equilibrar os níveis de açúcar do sangue e um programa de ingestão mais elevada de proteínas é também bastante útil. Lembre-se: quando os seus níveis hormonais estão alterados, o mesmo ocorre com a sua bioquímica. Você corre um alto risco de apresentar nervosismo, medo, explosões repentinas de choro e pânico. Faça refeições menos espaçadas, como, por exemplo, em intervalos de 3 a 4 horas. Por favor, não tenha crises de fome. Um lanche, na hora de dormir, composto de bolachas e queijo sem sal, faz muito bem.

4. Faça exercícios regularmente. Reserve cerca de trinta minutos, em dias alternados, para exercícios aeróbicos. Andar de bicicleta (se dentro de casa, bicicleta estacionária), natação, corrida, caminhada ou *jogging* monitorado por médico são boas maneiras de elevar seu moral e ajudar a espantar a tristeza. Os exercícios fazem parte do programa de luta contra a SPM. Eles podem ser o passo mais importante.

5. Omita o sal. Ele absorve água e leva ao inchaço. Evite adicionar sal aos alimentos, quando cozinhar, e evite ingerir alimentos ricos em sódio. Coma alimentos frescos, ao invés de processados, enlatados ou congelados. Use ervas e temperos naturais ao invés de sal.

6. Coma farelo de trigo diariamente. As lojas de produtos naturais o vendem. Use-o em receitas que empregam cereais integrais, em vitaminas e em pães feitos em casa. O farelo se liga à água e facilita a sua eliminação. É importante ingerir de duas a três colheres de sopa de farelo de trigo diariamente.

7. Diga "Não" ao álcool. Ele pode desequilibrar seus níveis hormonais e piorar a SPM.

8. Suplementos vitamínicos são úteis. Embora todo grupo de vitaminas do complexo B seja útil, diz-se que é a piridoxina, ou vitamina B_6, que controla o inchaço, ajudando-a a resistir à depressão e diminuindo os seus desejos de comer doces. Uma dosagem de 50 mg, com a aprovação do seu médico, será bastante útil. Falaremos muito mais sobre as vitaminas no próximo capítulo.

9. Evite a cafeína. Deixe de lado o café, o chá, a maioria dos refrigerantes e principalmente os que contêm cola. Ah! Os chocolates também. Leia as bulas dos medicamentos, pois muitos contêm cafeína. A cafeína contém metil-xantinas, substâncias indicadas como prováveis causadoras de cistos nas mamas. Ao reduzir ou omitir a cafeína, você perceberá que seus seios ficarão menos sensíveis durante a SPM. Ingira chás de ervas, frutas frescas, bem como hortaliças e seus sucos para acalmar sua sede.

10. Mantenha a calma... Corte o stress. A tensão nervosa pode piorar os sintomas da SPM. Lembre-se: suas glândulas já estão em curso de colisão e sob *stress*. Assim, é preciso tomar cuidado para não exacerbar a situação. Evite a tensão de qualquer tipo. Reserve algum tempo para relaxar, cochilar, meditar, passear. Menos *stress*, menos SPM.

11. Faça mais amor. Para muitas mulheres, o clímax sexual libera grande quantidade de tensão acumulada e isso acalma e reduz alguns dos sintomas da SPM. Seu objetivo é reduzir a congestão pélvica e uma das maneiras é o ato sexual satisfatório, que culmina com seu orgasmo.

Se você seguir este programa de onze passos, transformando-o num estilo de vida, será capaz de reduzir os sintomas da SPM e levar uma vida mais alegre.

4

O CAMINHO VITAMÍNICO-MINERAL PARA ALÍVIO DA SPM

Freqüentemente os nutrientes constituem o elo perdido de sua corrente orgânica visando a corrigir os sintomas da síndrome pré-menstrual. Em algumas situações, um simples nutriente pode equilibrar seus hormônios e suavizar os sintomas. Em todo o caso, a nutrição pode desempenhar um importante papel na sua busca de alívio.

Foi o Dr. Morton S. Biskind, em 1943, o primeiro a indicar, no *Journal of Clinical Endocrinology and Metabolism*, que os sintomas da SPM eram mais dolorosos em mulheres que apresentavam deficiência de vitaminas do complexo B. Sugeriu, então, um tratamento com extratos de farelo de arroz e lêvedo de cerveja, verificando que suas pacientes apresentaram uma grande melhora. Tais alimentos são fontes básicas de vitaminas do complexo B.

O Dr. Biskind informou que estas vitaminas, em particular, eram necessárias à estimulação do fígado para desativar os estrógenos e, assim, criar um equilíbrio melhor no sistema. Essa descoberta abriu as portas para o emprego da nutrição como parte do tratamento dos distúrbios da SPM.

Nos últimos anos, Guy E. Abraham, M.D., tem relatado que as "melancolias" da SPM podem ser mitigadas pelo uso apropriado de vitaminas e minerais. Segundo o Dr. Abraham, "Esse campo de pesquisa está passando por um período renascentista exatamente agora. Novos conhecimentos rapidamente acumulados nos convencem de que aquilo que comemos nos afeta de inúmeros modos. O que lhes digo hoje pode ser completamente modificado amanhã. Porém, há fatos que não podem ser negados.

"Nossos organismos evoluíram por milhares de anos acostumados a uma alimentação que consistia predominantemente de frutas e hortaliças frescas, grãos, nozes, legumes e cereais. Nosso sistema endócrino, fígado, pâncreas e intestinos acostumaram-se a receber carboidratos complexos, que são lentamente quebrados em açúcares simples e liberados para a circulação.

"As vitaminas e sais minerais, que ajudam a converter o alimento em energia e a formar as moléculas de nosso corpo, estavam contidos nesses alimentos. *No século passado, começamos a nos afastar dessa alimentação natural. Estamos pagando o preço disso.*"

Como subjugar o problema da SPM? O Dr. Abraham sugere a cooperação com seu médico e um programa básico, composto de seis passos:

1. Fique mais próxima da Natureza. Evite ingerir calorias inúteis, alimentos processados, refrigerantes carbonatados, açúcar refinado e sal. Diminua a sua ingestão de carnes vermelhas.

2. Ingira a quantidade adequada de proteínas, mas não mais do que 1 g por quilo de peso. O consumo de proteínas nos Estados Unidos atinge a média de 100 g diárias. Grandes quantidades de proteínas retiram de circulação os sais minerais e, portanto, aumentam as necessidades dos mesmos pelo organismo.

3. O magnésio auxilia a absorção do cálcio e sua conseqüente deposição nos ossos. O magnésio diminui a necessidade de cálcio e o cálcio aumenta a necessidade de magnésio. O bom senso nos diz, então, para favorecer a ingestão de magnésio muito mais do que a de cálcio. De fato, evoluímos num meio ambiente rico em magnésio e pobre em cálcio. Assim, nosso organismo desenvolveu um mecanismo para conservar o cálcio, não apresentando nenhum mecanismo semelhante em relação ao magnésio.

4. Limite sua ingestão de produtos derivados do leite, porque eles interferem com a absorção de magnésio, um mineral freqüentemente deficiente ao organismo das mulheres americanas. Você deve favorecer a ingestão de alimentos que contenham pelo menos duas vezes mais magnésio do que cálcio.

5. Limite a ingestão de café, chá, refrigerante e chocolates, porque tais alimentos aumentam a demanda de vitaminas do complexo B e podem causar problemas aos seios. Corte a nicotina pelas mesmas razões.

6. Aumente sua ingestão de carboidratos complexos encontrados em hortaliças, legumes, cereais integrais. Se você não é alérgico a produtos derivados de leveduras, o lêvedo de cerveja pode ser empregado como flavorizante, devido à sua alta taxa de ácido glutâmico. Porém, as leveduras contêm 7% de ácidos nucléicos e a ingestão máxima diária dos mesmos é de 2 g. Você não deve ingerir mais do que duas colheres de sopa de lêvedo por dia, pois poderá ingerir quantidades extras de ácidos nucléicos provenientes

de outros alimentos. O lêvedo é também extremamente rico em fosfatos e você não poderá ingeri-los em altas quantidades. Devido a estas limitações, não é possível obter todas as vitaminas do complexo B e outros elementos minerais necessários unicamente do lêvedo.

Um programa nutricional baseado em alimentos integrais ajuda a equilibrar o sistema hormonal, fator chave na redução da disfunção. "Uma regra básica para enfrentar o problema é: quanto melhor for a sua alimentação, maior será a sua energia, a sua resistência, o seu bem-estar e a sua capacidade de subjugar quaisquer problemas orgânicos, inclusive aqueles relacionados ao seu ciclo mensal", explica Patricia Allen, M.D., obstetra/ ginecologista e instrutora clínica do College of Physicians e Surgeons, da Universidade de Colúmbia, N.Y., e co-autora, com Denise Fortino[1], de *Cycles: Every Woman's Guide to Menstruation*[2].

"Juntamente com um estilo de vida cronicamente estressante, hábitos alimentares pobres podem contribuir parta a disfunção menstrual. Assim, manter em ordem a sua alimentação é essencial a uma menstruação saudável."

Você pode acabar com a miséria causada pela SPM através de uma abordagem corretiva, melhor nutrição, maior compreensão do problema e a convicção de que pode melhorar a situação. Agradeça aos novos conhecimentos alcançados pelos nutricionistas e médicos, através dos quais podemos mais bem esclarecer os conceitos erroneamente fornecidos a respeito da SPM e eliminar o espinho da maldição de Eva.

ALÍVIO PARA AS MENSTRUAÇÕES HEMORRÁGICAS

Sabe-se que os níveis de vitamina A nas mulheres flutuam num padrão regular durante o ciclo menstrual. Numa pesquisa realizada em Johannesburgo, África do Sul, os Drs. D. M. Lithgow e W. M. Politzer testaram os níveis de vitamina A em 71 mulheres que sofriam de menorragia (sangramento menstrual abundante ou prolongado) e encontraram uma média de apenas 67 unidades internacionais (UI) da vitamina por 100 ml de sangue. Em contraste, um grupo-controle de mulheres saudáveis, com períodos menstruais normais, apresentava a média de 166 UI da vitamina por 100 ml

1. Colégio de Médicos e Cirurgiões (N. T.)
2. *Ciclos: Guia da Mulher para a Menstruação* (N. T.)

de sangue — quase duas vezes e meia a quantidade medida no primeiro grupo.

Para se certificarem de que isso não era apenas uma coincidência, os pesquisadores decidiram, então, tratar 52 mulheres com sintomas de menorragia com 60.000 UI de vitamina A por dia, durante 35 dias. Cerca de 93% das mulheres tratadas ou se curaram ou apresentaram grandes melhoras com esse tratamento.

BIOFLAVONÓIDES

Demonstrou-se também que o sangramento menstrual abundante era minorado através do uso de bioflavonóides. Tal demonstração foi feita por um grupo de médicos de um hospital francês, que relatou que tais nutrientes dados às mulheres produziam "de bons a excelentes resultados".

Os bioflavonóides, geralmente extraídos da pele interna e da porção branca da polpa dos frutos cítricos, são amplamente reconhecidos na Europa por sua capacidade de fortalecerem os vasos sanguíneos, particularmente as paredes dos capilares.

Ao tratarem a menorragia com bioflavonóides, os médicos franceses observaram uma "melhora progressiva, sendo a mais marcante a alcançada no terceiro ciclo menstrual"

VITAMINAS E OUTROS SUPLEMENTOS

R. S. London, M.D., notável nutricionista do Hospital Sinai e da Universidade John Hopkins, acredita que os sintomas da SPM podem ser aliviados pela ingestão de suplementos vitamínicos. Ele e seus colegas deram a um grupo de voluntárias, portadoras de SPM, dosagens variando entre 150 e 600 mg diárias de vitamina E. A um grupo semelhante de mulheres portadoras, foram dadas pílulas inócuas, num teste duplamente cego. O Dr. London verificou que a vitamina E, tomada diariamente, ajudava a diminuir os sintomas da SPM para a maioria das mulheres. A resposta dependia amplamente da quantidade, sendo que 300 mg constituiu a dosagem mais eficaz. Não foram observados quaisquer efeitos colaterais.

VITAMINA B_6 (PIRIDOXINA)

Este nutriente vem se mostrando eficaz no alívio dos sintomas, bem como na prevenção dos mesmos. A Food and Drug Administration[3] reconsiderou tal evidência, chegando a concordar que a vitamina é segura "nos níveis de dosagem usuais". Uma boa maneira consiste em começar com uma dose pequena, ao redor de 50 mg, e esperar pelos resultados. Se os sintomas não forem aliviados, podem-se gradualmente aumentar a dose. Embora a vitamina B_6 seja segura em dosagens ao redor de 399 mg, é melhor não ir tão longe.

Segundo Leon Zussman, M.D., diplomata do American Board of Gynecologists and Obstetricians[4], e filiado ao Centro Médico Long Island Jewish-Hillside, de N.Y., "o complexo B é essencial à saúde do fígado. E o fígado desempenha um papel chave na neutralização de quantidades excessivas de estrógeno produzido pelos ovários, durante o curso do ciclo menstrual". Falando mais simplesmente, isso sugere que as vitaminas do complexo B podem oferecer proteção contra a desordem hormonal da SPM.

Tal fato é enfatizado pelo médico texano John M. Ellis, que realizou uma pesquisa abrangente sobre a B_6 e que acha que ela pode aliviar a sensação de peso, de inchaço, que muitas mulheres experimentam antes da menstruação.

Barbara Seaman e Gideon Seaman, M.D., em seu tão aclamado livro *Women and the Crisis in Sex Hormones*[5], chamam a atenção para a piridoxina como sendo especialmente eficaz no alívio do edema (acumulação de líquidos), que importuna a vítima da SPM. Segundo eles, "algumas mulheres, com edema tão severo que não podia ser controlado nem mesmo através do uso de diuréticos potentes, responderam dramaticamente à terapia com B_6. A piridoxina pode também produzir alívio extremamente rápido para a turgescência dos seios e, algumas vezes, nos casos de náusea e vômito. Muitas mulheres com problemas de acne, que irrompe antes da menstruação, verificam que a piridoxina também reduz tal reação".

Uma mulher que tenha tomado pílulas anticoncepcionais durante um certo período dc tempo, mas depois deixou de tomar, voltando à menstruação normal, pode ter lapsos definidos em todas as funções orgânicas nas quais este nutriente desempenha papel importante. A pílula pode destruir

3. Administração de Drogas e Alimentos, órgão do governo americano que estabelece as dosagens seguras tanto de remédios quanto de nutrientes. (N.T.)
4. Conselho Americano de Ginecologistas e Obstetras. (N.T.)
5. *Mulheres e a Crise dos Hormônios Sexuais.* (N.T.)

quase completamente a piridoxina. Você precisa dessa vitamina para a produção de glóbulos vermelhos e anticorpos; também auxilia no funcionamento normal do sistema nervoso. A pílula pode também destruir o ácido fólico, um nutriente necessário às células sanguíneas.

Os Seamans sugerem aumentos na ingestão protéica — carnes, peixes, aves, produtos derivados do leite, ovos; grandes quantidades de alimentos ricos em fibras, tais como farelo de trigo, cereais integrais, nozes, sementes, amendoim, legumes e hortaliças de folhas verde-escuras. Recomendam ainda a vitamina C e os bioflavonóides para corrigir fluxos menstruais abundantes e também vitamina E, numa dosagem diária de 200 mg. Tal programa, juntamente com exercícios e uma atitude mais saudável, pode, segundo os autores, ajudar a reduzir os sintomas.

O ALÍVIO EXIGE MAIS DE UM NUTRIENTE

Não há evidência científica que justifique o uso de um único nutriente ou substância para o tratamento da síndrome pré-menstrual, diz Joyce M. Vargyas, M.D., da Escola de Medicina da Universidade do Sudeste da Califórnia, Los Angeles. Ela busca uma abordagem total e um programa individual de tratamento.

Comumente, a terapia-padrão usa contraceptivos orais, diuréticos, progesterona e sedativos. Mas a Dra. Vargyas preferiria ver a SPM ser tratada com a alimentação, "que, pelo menos, evita quaisquer efeitos colaterais sérios".

A diagnose deveria se basear no ritmo e tipo dos sintomas de cada paciente, que deveriam estar presentes apenas durante a fase lútea (aquela parte do ciclo entre a ovulacão e a menstruação). "Se a paciente se queixa de problemas durante todo o ciclo, a possibilidade de depressão, ansiedade, neurose ou psicose maníaco-depressiva endógenas (de dentro) deve ser considerada."

Tal abordagem baseia-se na teoria de que a redução do nível de dopamina (transmissor nervoso) causa depressão, mas níveis elevados de estrógeno causam ansiedade. Para ajudar a corrigir esse desequilíbrio, a Dra. Vargyas recomenda uma alimentação rica em proteínas, "mas pobre em sal e açúcar refinado. A vitamina B_6 é prescrita particularmente para pacientes ansiosas. O regime também inclui vitamina A para acne, vitamina E para a sensibilidade dos seios, e magnésio, para diminuir a quantidade de fluidos intercelulares (que circundam as células)".

Sugeriu-se que a etiologia da SPM pode ser eencontrada em anormalidades dos hormônios esteróides ovarianos. A administração de hormônios poderia ser útil? A Dra. Vargyas acha que os resultados são contraditórios. Alguns médicos acham que os hormônios são úteis; outros, que o uso de supositórios de progesterona não ofereceu qualquer melhora clínica. A Dra. Vargyas prefere uma abordagem global, com ênfase na nutrição.

Se já foi clinicamente confirmado que você tem SPM e não uma condição subjacente não relacionada à menstruação, então você precisa discutir a alimentação com seu médico. Tal recomendação é feita por Mona M. Shangold, M.D., do Departamento de Ginecologia e Obstetrícia, da Escola de Medicina da Universidade Cornell: "Cada paciente precisa de um tempo adequado para que seja levantado um histórico do caso, de modo a obter um quadro preciso de sintomas específicos e sua relação temporal com a menstruação.

"As mulheres que apresentam ciclos menstruais sem qualquer inconveniência significativa, provavelmente não precisam de terapia. É interessante e útil dar-lhes uma explicação sobre as alterações cíclicas de seus hormônios. Em geral, isso faz com que compreendam e aceitem seu desconforto.

"Muitas dessas mulheres fazem perguntas sobre tais sintomas apenas porque a publicidade ao redor do problema despertou-lhes o interesse. Muitas delas se beneficiam com o uso de vitamina B_6 (piridoxina), começando com uma dosagem de 50 mg por dia, durante o ciclo, e aumentando para 200 mg diários, se os sintomas persistirem."

Os Drs. Guy Abraham e J. Hargrove trataram mulheres que apresentavam ansiedade pré-menstrua, com piridoxina, numa dosagem que variava entre 200 e 800 mg diários. Segundo os autores, a terapia levou a uma diminuição do estrógeno sérico, bem como a um aumento do nível sanguíneo da progesterona e a uma melhora dos sintomas.

Uma vez quc a piridoxina é um co-fator necessário à sintese das catecolaminas (transmissores nervosos) e uma vez que a dopamina inibe a síntese da aldosterona (um hormônio da adrenal), os Drs. T. Mckenna e D. Island observaram que a deficiência de dopamina poderia levar à depressão e/ou edema da SPM. Os médicos sugerem que a adminstração de piridoxina poderia corrigir essa deficiência de catecolaminas, melhorando assim a prontidão e o humor, bem como reduzindo o edema.

Cuidado: As vitaminas podem fazer muito bem, mas é preciso evitar os excessos. Os Drs. H. Shaumburg a J. Kaplan avisam que a hipervitaminose causada pela ingestão excessiva de piridoxina (200 ou mais miligramas diários) pode levar à neuropatia sensorial. A dosagem deve ser prescrita por médico.

REMÉDIO X NUTRIÇÃO

A Dra. Mona Shangold comenta que a abordagem nutricional pode ser muito mais útil do que aquela baseada em rémedios. "Embora a Dra. Katharina Dalton tenha defendido o uso de progesterona natural (supositórios de 200 a 400 mg) por portadoras de SPM, os relatos de seu sucesso são motivo de piadas e não foram provados por estudos controlados.

"A criação de um meio hormonal constante, através do uso de progestina de ação prolongada, tem alcançado, segundo relatos informais, êxito em alguns casos. Esse efeito pode ser resultante de uma simples eliminação da flutuação cíclica dos hormônios endógenos (internos)."

A Dra. Shangold acrescenta que a "bromocriptina, uma dopamina, vem sendo utilizada para tratar a SPM, com algum sucesso. Embora o edema tenha respondido bem nesses estudos, os placebos (pílulas inócuas) também se mostraram eficazes.

"Muitas mulheres verificarm uma redução nos sintomas pré-menstruais, quando faziam exercícios regularmente e/ou reduziam a ingestão de sal. O papel desempenhado pelo exercício físico ainda não foi explicado, enquanto que a redução do sal provavelmente reduz a retenção de água e, conseqüentemente, o edema."

LISTA DE NUTRIENTES IMPORTANTES PARA O ALÍVIO DA SPM

O conhecido especialista em SPM, Niels H. Lauersen, M.D., autor de *SPM e você*, recomenda um programa nutricional individualizado, uma vez que cada mulher reage diferentemente à SPM. O equilíbrio hormonal altera-se mês a mês e dosagens específicas a cada mulher seriam bastante úteis. Mas o Dr. Lauersen sugere um equilíbrio de nutrientes, de maneira a preparar o organismo para a menstruação e reduzir a síndorme. Estes nutrientes incluem:

Cálcio

De dez a quatorze dias antes da menstruação, há uma queda dos níveis sanguíneos de cálcio. Isso poderia causar câimbras musculares, nervosismo, espasmos menstruais/abdominais, dores pélvicas e inchaço.

A portadora de SPM poderia tomar cálcio, mas sempre acompanhado de magnésio, pois ambos os minerais estão metabolicamente associados.

Cuidado: A ingestão só de cálcio pode causar uma deficiência de magnésio.

Dosagem: A forma preferida é aquela constituída por comprimidos de carbonato de cálcio (cada um com 500 mg) e uma dosagem de magnésio de cerca de metade daquela de cálcio. Tomar um comprimido de carbonato de cálcio diariamente e dois durante os quatorze dias precedentes ao fluxo menstrual. Para os casos de cólica uterina severa durante o período pré-menstrual, tomar um comprimido de 500 mg de gluconato de cálcio com magnésio a cada duas horas, mas não mais do que seis comprimidos por dia. Se a cólica ainda persistir, tome, então, dois comprimidos a cada duas horas, mas NÃO mais do que seis comprimidos por dia.

Obs.: O excesso de cálcio será eliminado do organismo sem problemas. Mas, se você tiver pedras nos rins ou qualquer outra condição que exija monitoração dos níveis de cálcio, é bom, então, discutir a dosagem com seu médico.

Magnésio

A deficiência desse mineral pode causar reações tais como câimbras musculares, dores pélvicas, nervosismo e outros sintomas semelhantes àqueles da deficiência de cálcio. Lembre-se: estes dois minerais atuam conjuntamente no sentido de minorar os sintomas da SPM. Se você aumentar a dosagem de magnésio, não se esqueça de que ela deve ser sempre a metade daquela do cálcio.

Dosagem: Um comprimido de 500 mg de carbonato de cálcio juntamente com 250 mg de magnésio diariamente. Aumente a ingestão para dois comprimidos de carbonato de cálcio/magnésio durante a última metade de seu ciclo menstrual.

"A SPM e a deficiência de magnésio estão envolvidas num círculo vicioso", observa Guy E. Abraham, M.D. Esse autor realizou uma pequisa com 26 vítimas da SPM, de um grupo etário situado entre os 24 e 44 anos. Juntamente com seu colega, o professor de patologia Michael M. Lubran,

M.D., ele observou que todas essas mulheres apresentavam níveis de magnésio dos glóbulos vermelhos "significativamente mais baixos" do que aqueles do grupo controle composto por mulheres saudáveis.

Os Drs. Abraham e Lubran também observaram que o *stress*, parte da síndrome pré-menstrual, vai exaurindo gradualmente o magnésio do organismo. "Muitos dos sintomas da SPM podem ser explicados pela deficência de magnésio", dizem eles. O uso desse mineral, juntamente com o cálcio, alivia os sintomas.

As cólicas menstruais são responsáveis pelo não comparecimento às aulas, entre as garotas adolescentes, segundo uma pesquisa realizada em 1981, baseada em dados do Centro Nacional de Estatísticas Médicas. Cerca de 14% das garotas faltam às aulas, devido às cólicas menstruais.

"Isso foi particularmente verdadeiro no caso de minha filha", diz Bernard Horn, médico de El Cerrito, Califórnia. "Quando ela tinha 16 ou 17 anos, suas cólicas menstruais eram tão fortes, que precisava ficar de cama, às vezes durante dias." O Dr. Horn administrava codeína (um derivado da morfina) à sua filha, mas não gostava de usar um medicamento tão forte. Ele se lembrou, então, que o magnésio desempenhava um importante papel no equilíbrio hormonal feminino e também agia como diurético natural.

Assim, passou a administrar 600 mg de magnésio, diariamente, quando sua filha começava a sentir as cólicas. Funcionou como que por encanto. "Isso foi há treze anos atrás", diz o Dr. Horn, "e, desde então, ela nunca mais teve cólicas".

O Dr. Horn tem visto esse mineral milagroso ajudar a aliviar as reações da SPM de muitas mulheres. "Em geral, eu sugiro uma suplementação, que pode ser feita de dois modos diferentes. A maioria das mulheres saudáveis deve ingerir 400 mg diário. Essa dosagem pode ajudar a prevenir o desconforto durante o período menstrual. Mas, se a mulher faz objeção a tomar o suplemento diariamente, eu lhe digo para fazer o seguinte: cinco dias *antes* de se iniciar o período menstrual, começar a tomar 600 mg diários de magnésio e continuar a ingerir essa quantidade todos os dias, até o término do período."

O Dr. Guy E. Abraham concorda e sugere que as mulheres tomem o magnésio juntamente com a vitamina B_6, para um melhor aproveitamento. Ele nos relata um tratamento realizado com nove mulheres jovens, aparentemente saudáveis, cujo principal defeito era o de apresentarem baixos níveis sanguíneos de magnésio. "Após tais mulheres terem tomado suplementos de 100 mg de vitamina B_6 duas vezes por dia, durante quatro semanas, seus níveis sanguíneos de magnésio ultrapassaram o dobro dos níveis anteriores! E, em seis dos nove casos, os níveis normais foram alcançados.''

Zinco

O zinco, um importante mineral encontrado em todas as células e tecidos do organismo, serve para estimular a atividade enzimática. Tem influência sobre a dupla DNA-RNA (componentes genéticos do organismo) e isso poderia ter algum efeito sobre a severidade dos sintomas. Se você apresenta uma deficiência de zinco, sua SPM pode incluir sintomas tais como irritabilidade, depressão, desordens nervosas e dores de cabeça.

Dosagem: Tomar 30 mg diárias de zinco; aumentar para 50 mg nos dias imediatamente precedentes ao período menstrual.

Cuidado: Não tome zinco juntamente com ferro, pois estes minerais são antagônicos e, na corrente sanguínea, um bloqueia a absorção do outro.

O *stress*, observa o Dr. Abraham, é parte da SPM e o zinco é capaz de aliviar as cólicas e outros sintomas. ''O zinco é muito bom na eliminação dos problemas da pele, bem como de cólicas. *Razão:* o zinco regula a produção de prostaglandinas, aquelas substâncias semelhantes a hormônios, que produzem contrações e cólicas uterinas. O zinco é capaz de ajudar a controlar a sobrecarga de prostaglandinas e a proteger contra as cólicas.''

A vitamina E, segundo o Dr. Abraham, também é muito útil. Ela aumenta a circulação e, portanto, aumenta a quantidade de sangue oxigenado pelo útero. Assim, quando o útero se contrai, mais sangue e, conseqüentemente, mais oxigênio, podem passar por ele. Quando há alguma restrição dessa rota, sangue oxigenado — útero, há a ocorrência de cólicas. Desse modo, a vitamina E ajuda a reduzir as dores provenientes da câimbra uterina.

Ferro

Este é um mineral extremamente essencial, pois protege contra a anemia, a fadiga e a fraqueza. Devido às perdas de ferro, muitas das portadoras de SPM passam de um cansaço extremo para a depressão. Isso pode ser corrigido com a ingestão de ferro. É importante notar também que uma mulher, que perde grandes quantidades de sangue durante seu período menstrual, tem um risco alto de apresentar deficiência de ferro.

Dosagem: Tomar 30 mg de ferro, três vezes ao dia, todos os dias. A forma preferida é o ferro-gluconato ou ferro-sulfato. Pode-se também tentar o uso de cápsulas de ferro de ação prolongada (uma por dia). Para uma melhor absorção do ferro, é preciso tomar ao mesmo tempo as vitaminas C e E. *Exemplo:* 30 mg de ferro (lembre-se; três vezes por dia) combinados com 1.000 mg de vitamina C e 200 UI de vitamina E.

Obs.: Se você, depois disso, ainda apresentar os sintomas, pode estar anêmica, devido a problemas na absorção de ferro e/ou de vitaminas B_{12}. É preciso, então, consultar um especialista.

Potássio

Esse mineral é considerado um eletrólito, isto é, quando em solução, produz íons. Um íon é um átomo ou grupo de átomos que conduz eletricidade. Os eletrólitos são necessários a muitas funções de seu organismo. Por exemplo: o potássio influencia os níveis de retenção de fluidos. Se você se sente inchada, pode ter alguma deficiência deste eletrólito essencial.

Cuidado: Tomar diuréticos e/ou uma dieta inadequada pode ser a causa da deficiência. Isso ocasiona a retenção de fluidos e de sódio nas células de seu corpo. Os sintomas incluem cansaço crônico, fraqueza e dores de cabeça. Você pode ter também problemas cardiovasculares e musculares, porque o potássio também está envolvido com as funções desses dois sintomas.

Dosagem: Dois comprimidos quatro vezes ao dia, após as refeições e antes de dormir, de 5 mili-equivalentes (mEq) de gluconato de potássio por comprimido. Isso fornecerá um total de 40 mEq de potássio por dia. Se você tem SPM severa, então pode precisar de uma dosagem duas ou três vezes maior. Se você é uma mulher normal, o excesso será naturalmente eliminado do organismo. Mas, se você tem problemas cardiovasculares ou renais, então precisará de monitoração médica, pois, nesses casos, o excesso de potássio pode causar arritmias cardíacas e, se há problemas renais, há risco de vida. (O potássio pode irritar o sistema gastrintestinal de algumas pessoas, predispondo a úlceras. Verifique suas reações e discuta o uso desse mineral com seu médico.)

As farmácias vendem potássio em comprimidos com 83,5 ou 99 mg desse mineral. Essa dosagem corresponde a cerca de 5 mEq de gluconato de potássio. É importante checar os rótulos.

Vitamina A

Necessária à formação de nosso sistema imunológico e à luta de nosso organismo contra as infecções, doenças em geral e sintomas tais como aqueles da SPM. Uma vez que a SPM pode enfraquecer nossa resistência, especialmente se você estiver sob qualquer tipo de *stress*, essa vitamina é extremamente útil.

Dosagem: Tomar 5000 unidades, três vezes ao dia, juntamente com outras vitaminas.

Vitaminas do Complexo B

Muito necessária à mulher média. A nossa alimentação típica é deficiente nesse grupo vitamínico, pois o mesmo é composto por vitaminas hidrossolúveis (solúveis em água) e, portanto, facilmente eliminadas durante o cozimento ou processamento dos alimentos. Os cereais integrais que permanecem estocados por um certo período de tempo ou expostos à luz, também perdem esses nutrientes perecíveis.

As vitaminas do complexo B são necessárias à regularizacão da síntese de estrógeno. A deficiência das mesmas poderia causar desequilíbrio endócrino e, com superprodução de estrógeno, há cólicas menstruais intensas.

A vitamina B_6 (piridoxina) é o membro da família B de que você mais necessita. Ela influencia a liberação de dopamina e serotonina, dois neurotransmissores que ajudam a regular seu ânimo. Deficiência de piridoxina significa deficiência de dopamina-serotonina, tornando a vítima de SPM tensa. deprimida, nervosa e facilmente irritável. Pode haver também um aumento da necessidade de comer, bem como de retenção de líquidos.

Para obter alívio, é preciso tomar piridoxina, mas APENAS em combinação com o restante da família do complexo B, para manter o equilíbrio. Isso é muito importante! Para manter a estabilidade e precisão dos níveis de seus neurotransmissores é preciso manter o equilíbrio adequado dos níveis vitamínicos.

Dosagem: Tomar 100 mg do complexo B juntamente com 50-200 mg de B_6, por via oral. Duas semanas antes da menstruação, aumente a dosagem de B_6, para 500-800 mg diárias. Mas lembre-se: tomar unicamente a B_6 pode ser arriscado e também causar problemas estomacais. Assim, tome-a juntamente com o restante das vitaminas do complexo B. Diz-se que tal combinação é mais eficaz na redução da desordem, freqüentemente eliminando a maioria dos sintomas.

Vitamina C

Importante para a síntese do colágeno, uma substância do tecido conjuntivo, de função cimentadora, que mantém a saúde das células do organismo. Também fortalece os capilares, mantém o ferro na corrente sanguínea e protege outros nutrientes essenciais contra a oxidação. Uma vez que a SPM causa *stress* destrutivo, é importante manter os níveis orgânicos dessa vitamina. Lembre-se: ela é hidrossolúvel, de fácil destruição e não é estocada pelo organismo.

Dosagem: Pelo menos 2000 mg de vitamina C por dia.

Vitamina D

Uma vitamina importante, produzida pela pele, quando se toma sol. Se você toma pouco sol, pode ter uma deficiência desse nutriente. Ele é necessário à fixação do cálcio em seu organismo. Assim, já que a vitamina D auxilia a absorção de cálcio, tome-a juntamente com cálcio e magnésio.

Dosagem: 400 UI de vitamina D, uma vez por dia, para aumentar a eficácia do cálcio e do magnésio na eliminação de seus sintomas.

Cuidado: A deficiência de vitamina D significa desconforto e dor!

Vitamina E

Há uma polêmica considerável a respeito da efetividade desse nutriente no que se refere à SPM. Alguns estudos demonstram que a ingestão de 400 UI ou mais de vitamina E diariamente, por um período superior a três meses, leva à melhora de doenças fibrocísticas mamárias (também causadas por desequilíbrio hormonal). No entanto, outros estudos demonstram que isso não acontece. Mas não há como negar que este é um importante nutriente. Ele ajuda a proteger da oxidação substâncias graxas tais como a vitamina A e ácidos graxos essenciais, bem como os hormônios produzidos pelas adrenais e hipófise e os hormônios sexuais. A vitamina E tem uma função protetora, que ajuda a estabelecer um bom equilíbrio hormonal.

Dosagem: Entre 400 e 800 UI diariamente.

O Dr. Niels H. Lauersen comenta: "A abordagem natural, que inclui um programa nutricional, suplementação vitamínica e mineral e métodos de redução do *stress*, é a primeira linha do tratamento da SPM. A mulher pode fazer seu próprio programa natural, após identificar seus sintomas da SPM". E, naturalmente, é importante estar sob os cuidados de um médico especialista em SPM.

5

A ALIMENTAÇÃO NO COMBATE À SPM: A CONEXÃO COM A HIPOGLICEMIA

Muitas portadoras da SPM são viciadas em alimentos processados e em açúcar apresentado sob as mais variadas formas. Isso dá origem ao problema conhecido como hipoglicemia ou baixa taxa de glicose no sangue. A hipoglicemia afeta cerca de 40 milhões de americanos, mais mulheres do que homens, especialmente mulheres entre os 30 e os 40 anos. E a hipoglicemia pode ser desastrosa durante a SPM.

Na verdade, há muitas mulheres que têm hipoglicemia, mas não SPM. Porém, muitas mulheres apresentam níveis de tolerância à glicose alterados durante a fase lútea (a segunda metade) do ciclo menstrual. Há uma conexão. Assim, é preciso identificar a condição e eliminá-la.

Hipoglicemia significa baixos níveis de glicose no sangue, resultante de uma alteração no metabolismo desse açúcar, devido a uma liberação excessiva de insulina, que retira de circulação grande parte da glicose sanguínea, baixando os níveis séricos da mesma (Todos os açúcares que você ingere, são transformados em glicose no seu organismo.). Uma vez que cada célula de seu corpo precisa de glicose para poder funcionar, se você passa por um período de "privação de glicose", todo o seu organismo começa a reagir.

Por que você fica com uma vontade incomum de ingerir açúcares durante a SPM? Essa talvez seja uma manifestação de hipoglicemia. Durante a fase lútea, suas células retêm insulina e criam, assim, um nível elevado da mesma no organismo. Esse nível elevado de insulina causa uma redução extremamente rápida dos níveis sanguíneos de glicose. Se você estiver bem na metade de sua SPM e sentir extrema necessidade de ingerir doces, provavelmente estará passando por uma fase de desequilíbrio entre os níveis de insulina e os de glicose. E, se você se render essa urgência por alimentos com alta concentração de açúcar, pode ter até um ataque hipoglicêmico, pois todo esse açúcar passa, quase instantaneamente, para a sua corrente sanguínea. Os seus já altos níveis de insulina elevam-se ainda mais e isso faz com que os já baixos níveis de glicose caiam a níveis ainda mais baixos. Todo esse processo ocorre num período que varia entre meia e uma hora após a ingestão dos doces e pode piorar ainda mais os sintomas.

Jane Brody, que escreve sobre saúde no *New York Times*, explica isso da seguinte maneira: "O excesso de insulina ou, como dizem os médicos, superprodução de insulina em resposta ao excesso de açúcares, ocorre, numa certa extensão, a qualquer pessoa que consome doses concentradas de açúcar, especialmente entre as refeições.

"Talvez esse seja um resquício evolutivo dos nossos primeiros tempos como espécie isolada, quando as únicas fontes de açúcar da alimentação humana eram as frutas e hortaliças, que assim entrava no organismo diluído em outros nutrientes, juntamente com água e fibras. O organismo humano não estava preparado para lidar com formas concentradas de açúcar, com as que existem num pedaço de bolo ou doce."

Biologicamente, a grande maioria das células é capaz de armazenar pequenas quantidades de glicose — mas não as células cerebrais! Elas precisam de um fornecimento estável de glicose através da circulação sanguínea. Se os níveis sanguíneos de glicose estão baixos, o cérebro funciona mal.

É o hipotálamo que controla os níveis orgânicos de glicose. Quando os receptores nervosos do corpo indicam ao hipotálamo que há hipoglicemia, ocorre uma reação rápida. Imediatamente, há uma redução na quantidade de glicose que seria enviada ao cérebro e células periféricas, especialmente dos músculos. Esse desequilíbrio repentino dos níveis de glicose dispara os sintomas hipoglicêmicos, que incluem fraqueza, tremores, fome constante, transpiração, constrição da garganta, ansiedade, nervosismo, irritabilidade e pulso acelerado. Esse conjunto de reações persiste, até mesmo piora, até que o organismo receba mais glicose, proveniente de alimentos ou dos estoques existentes no fígado para alimentar o cérebro.

SPM + HIPOGLICEMIA

Embora muitas mulheres tenham uma sem a outra, muitas têm SPM devido à hipoglicemia. Durante esse período de desordem orgânica, há alterações na tolerância à glicose e, mesmo que a mulher apresente níveis sanguíneos normais de glicose, seu organismo está tão sensivel, que apresenta reações semelhantes às hipoglicêmicas. Estima-se que uma em cada dez mulheres tenha essa combinação. Mesmo que não haja diagnose de hipoglicemia, tais sintomas surgem, devido a uma redução do nível de glicose durante a fase sintomática, que dá origem a desordens orgânicas e mentais.

Para se determinar a existência de hipoglicemia, é preciso fazer um teste de tolerância à glicose, que mede, entre outras coisas, a taxa de metabolização de açúcares no organismo, durante um período de jejum e depois da ingestão de uma determinada quantidade de carboidratos e açúcares. O diagnóstico é feito com base numa curva de tolerância. que, se for achatada, indica um aumento na tolerância aos açúcares, condição essa, de maneira geral, indesejável. Uma vez diagnosticada a hipoglicemia, é preciso estabelecer um tratamento dietético.

SEU PROGRAMA DIETÉTICO PARA COMBATER A SPM

Talvez a regra mais importante deste programa seja evitar o açúcar refinado. Ele dispara a liberação excessiva de insulina. Poucos dias antes do início de seu período menstrual, seu organismo fica bastante sensível à insulina e o açúcar refinado pode ter efeito devastador. Você poderá experimentar os efeitos físico-emocionais da queda brusca dos níveis sanguíneos de glicose. Isso piorará os efeitos da SPM sobre sua saúde.

Regra básica: Diga NÃO a qualquer coisa que contenha açúcar refinado. Lembre-se: de todos os alimentos, ele é o que passa mais rapidamente para a corrente sanguínea e isso pode causar sérias reações. Nenhum açúcar significa menos SPM, devido à diminuição do risco de hipoglicemia. Assim, siga a orientação dada abaixo.

1. Faça várias pequenas refeições ao longo do dia, ao invés de duas ou três básicas. Planeje seis refeições por dia. Algumas podem ser as principais, mas faça lanches no meio da manhã, no meio da tarde e antes de se deitar. Isso ajuda a estabilizar seu sistema digestivo.

2. Se você não faz regime, pode ingerir de 1.500 a 2.000 calorias por dia. Para emagrecer, consulte seu médico.

3. Programe-se para ingerir um máximo de 100 g de carne vermelha por dia. A sua ingestão diária de proteínas deve ser de: 120 g para uma ingestão diária de 1.000 calorias; 180 g para 1.500 calorias e 360 g para

3.000 calorias díarias (A ingestão de proteínas deve perfazer de 15 a 20% de sua ingestão total diária.). Como fontes de proteínas você pode escolher entre: carnes bem magras, peixes, aves, cereais integrais, leguminosas (feijão, vagens, fava, ervilha etc.), substitutos da carne ou análogos. Limite a duas pequenas porções diárias a ingestão de laticínios (leite, iogurte, queijos, manteiga) e ovos.

4. Aumente a ingestão de carboidratos complexos (cereais integrais, sementes, nozes, hortaliças e frutas), que são metabolizados na glicose necessária, mas numa taxa bem lenta. *Obs.:* as proteínas e gorduras são metabolizados tão lentamente, que não conseguem manter uma elevação gradual e persistente dos níveis sanguíneos de glicose.

5. Seja moderada na ingestão de gorduras. A ingestão das mesmas não deve ultrapassar os 20% da ingestão calórica diária e deve ser proveniente de gorduras polinsaturadas (óleos vegetais). Tais gorduras poliinsaturadas também fornecem uma elevação gradual da glicose sanguínea.

6. Diga "não" ao sal, pois ele leva à retenção de líquidos (edema) e ao inchaço. Este pode ser sentido vários dias antes da chegada da menstruação.

Cuidado: há sal nos refrigerantes, club sodas, e em muitas sobremesas enlatadas. O sal faz parte de *quase todos* os alimentos e bebidas processados, congelados,.enlatados e engarrafados. Leia os rótulos. Para evitar o sal, é melhor preparar em casa as suas refeições. Experimente beber água mineral, gasosa ou não, sem sal.

7. Reduza ou elimine a cafeína. Ela pode ser encontrada não apenas no café, mas também nos chocolates, no chá, na maioria dos refrigerantes (leia os rótulos). A cafeína age sobre os receptores celulares de adenosina, uma substância que tem afinidade com a cafeína e que influencia muitos processos fisiológicos que exigem energia. Você pode ter então um aumento na quantidade de energia liberada, mas com queda conseqüente dos níveis sanguíneos de glicose, num processo semelhante à ação de um "ioiô". Prefira produtos livres de cafeína.

8. Aumente seu consumo de produtos provenientes de cereais integrais, legumes e hortaliças de folhas verdes.

9. Um alimento excepcionalmente bom é o óleo de açafrão. Este é fonte básica de ácido cis-linoléico, um predecessor da prostaglandina E1, que pode tamponar os sintomas da SPM.

10. Nunca pule refeições. Coma tão lenta e prazerosamente quanto possível. Isso ajudará a suprir seu organismo com o fornecimento estável e equilibrado de nutrientes, mantendo a taxa sanguínea de glicose.

Se você tiver hipoglicemia já diagnosticada ou apenas uma "tolerância reduzida à glicose" ou sensibilidade a açúcar, sentirá vontade insaciável de comer, mesmo quando estiver satisfeita. A razão é que o excesso de carboidratos refinados aumenta a liberação de serotonina, que, por sua vez, provoca a necessidade de comer, o que causa, então, o aumento de peso. Tudo isso faz parte da liberação excessiva de insulina disparada pelo excesso de açúcar. Seguindo a orientação dada acima (e, o mais importante, eliminando qualquer alimento que contenha açúcar refinado), será possível equilibrar a taxa sanguínea de glicose e controlar a vontade de comer.

Sugestão: Experimente misturar um pouco de proteína com carboidrados. A razão é que a proteína leva muito mais tempo para passar à corrente sanguínea e se transformar em glicose; os carboidratos, ao contrário, entram muito mais rapidamente na corrente sanguínea, aumentando a exigência de insulina. Quanto mais insulina, maior a queda da taxa sanguínea de glicose e isso ressalta as alterações de ânimo relativas à SPM.

Conselho: Coma uma laranja, pêra ou maçã com um pedaço de queijo. O par carboidrato-proteína da mistura moderará a produção de insulina e equilibrará os níveis sanguíneos de glicose.

ALIMENTOS PERMITIDOS E PROIBIDOS DURANTE A FASE PRÉ-MENSTRUAL

O objetivo é equilibrar os níveis hormonais. Você pode, para isso, lançar mão dos seguintes alimentos:

Sucos de frutas (especialmente de laranja ou grapefruit, embora devam ser tomados em pequenas quantidades, devido à alta concentração de açúcar natural), todas as frutas frescas, especialmente as bananas ricas em potássio, hortaliças frescas e seus sucos, hortaliças enlatadas ou congeladas, mas apenas se *LIVRES* de sal e açúcar; iogurte natural sem açúcar, ovos, queijos sem sal nem açúcar, cereais quentes ou frios sem sal, pães integrais sem sal, massas feitas com farinhas integrais, arroz integral, carnes frescas magras, peixes, aves, nozes e sementes sem sal, pipoca sem sal nem óleo, manteiga sem sal, quantidades moderadas de mel ou geléia, mas sem açúcar.

Uma vez que a SPM está diretamente ligada à retenção de líquidos, devido ao sal, especialmente durante a fase lútea do ciclo, é preciso dizer ''não'' a esse tempero. Nenhum sal no liquidificador. Nenhum sal na panela. E evite também: batatas chips, leitelho e queijo (exceto os sem sal), carnes processadas (enlatadas, secas ou defumada).

Evite sucos e hortaliças enlatadas, a menos que não contenham sal;

manteiga e margarina com sal, manteiga de amendoim, pães e cereais embalados. Sopas enlatadas, daquelas prontas-para-comer, desidratadas, em pó, cubinhos, etc. são também ricas em sal. Os refrigerantes e sobremesas já preparadas, temperos de salada, molho de soja, ketchup, flavorizantes, azeitonas, caldos de carne ou galinha são todos ricos em sal. Diga ''não'' também a qualquer coisa que contenha GMS (glutamato monossódico)[1].

Sugestão: Devido ao fato de a maioria das refeições preparada em restaurantes, lanchonetes, bares etc serem ricas em sal (e em açúcar também), a menos que especificadas, é melhor comer em casa durante o seu período pré-menstrual. Você estará mais segura e sua taxa sanguínea de glicose será mais equilibrada.

EXEMPLO DE CARDÁPIO PARA COMBATER A MELANCOLIA DA SPM

Use este cardápio como guia, fazendo as substituições adequadas. Lembre-se, novamente, de que você deve permanecer dentro de seus limites de ingestão calórica e, ao usar os itens alternativos, que as regras do ''não ao sal'' e ''não ao açúcar'' devem ainda ser aplicadas.

Desjejum

Meia fruta cítrica; um ovo mole, um prato de fruta e queijo, iogurte ou requeijão desnatado, torrada de pão integral.

Importante: É melhor evitar o suco de frutas pela manhã. Sua alta concentração de açúcar poderia causar uma elevação da quantidade de circulante de insulina e, conseqüentemente, uma queda na taxa de glicose do sangue, o que não seria prudente a essa hora do dia.

Almoço

Salada de brotos de vegetais, com carne de frango ou peru cortada em cubinhos ou, ainda, atum; desfrute de tomates, pepinos, alface ou hortaliças da estação.

Prepare um tempero de salada com suco de tomate, suco de limão,

1. Contido em flavorizantes do tipo Ajinomoto. (N. T.)

alho picado. Pode usar também óleo de açafrão, que, como já dissemos, é uma fonte básica do ácido linoléico.

Cuidado: os óleos são ricos em calorias. Assim, se você estiver tentando perder ou controlar o peso, use-os com moderação: uma a duas colheres de sopa.

Jantar

Batata assada, carne magra, peixe ou ave, salada de hortaliças ou hortaliças refogadas. Experimente brotos de alfafa, aspargos e hortaliças de folhas verdes, que são conhecidos como diuréticos naturais. Sobremesa: fruta fresca.

Lanches entre Refeições

Sanduíche de pão integral recheado com manteiga de amendoim/ banana; mistura de fruta com queijo ou iogurte com queijo. (Estas são combinações típicas de carboidratos com proteínas, que ajudam à manutenção da estabilidade de sua taxa sanguínea de glicose. Planeje comer tais lanches a intervalos de três horas.).

Experimente tahine (manteiga de semente de gergelim) sobre fatias de pão integral ou tofu (queijo de soja) com fatias de frutas. Coma também frutas e requeijão cortados em cubinhos polvilhados com germe de trigo.

Outros bons lanches: maçã, laranja ou grapefruit, pipoca sem manteiga, torradas, crackers de trigo integral, torradas de graham, papo-de-anjo sem sorvete, sementes e nozes sem sal nem gorduras, quase todas as frutas frescas. Se utilizar frutas congeladas ou enlatadas, verifique, no rótulo, se não contêm açúcar refinado. Mate sua sede com sucos de frutas (os feitos em casa são os melhores). Se usar sucos enlatados ou congelados, veja, também, se não contêm açúcar refinado. Na dúvida, deixe-os de lado.

TÔNICO NATURAL PARA O ALÍVIO DA SPM

Comece o dia elevando sua taxa sanguínea de glicose e equilibrando seus níveis de insulina com um tônico altamente nutritivo, batido no liquidificador. Esse tônico apresenta uma alta concentração de vitaminas do complexo B, proteínas, cálcio, magnésio, vitamina E e outros nutrientes, que acalmam a SPM.

Misture meia xícara de iogurte comum desnatado, uma colher de sopa de lêvedo de cerveja, uma colher de sopa de farelo de trigo, uma colher de sopa de germe de trigo, uma banana, meia xícara de leite desnatado. Bata no liquidificador de 30 a 60 segundos. Beba lentamente.

Experimente esse tônico natural como desjejum e veja se ele a ajuda a melhorar os seus sintomas.

Niels H. Lauersen, M.D., e Zoe R. Graves, Ph.D., da Escola de Medicina Monte Sinai, N.Y., também sugerem uma abordagem natural no tratamento da SPM.

"No aconselhamento, pode-se combinar a abordagem "natural" com o tratamento médico. Inicialmente, adverte-se a paciente para que diminua a sua ingestão calórica. O aumento de peso e a conversão de tecido adiposo em estrógeno podem exacerbar os sintomas da SPM.

"As pacientes são encorajadas a aumentar sua atividade física e fazer exercícios, para melhorar o metabolismo e remodelar a massa muscular.

Uma dieta pobre em sal ajuda a prevenir contra a retenção de água e edemas pré-menstruais.

Muitas pacientes parecem se beneficiar também com uma baixa ingestão de açúcar; algumas foram encorajadas a permanecer sob uma dieta hipoglicêmica; uma vez que a redução da flutuação da glicose sanguínea parece ter freqüentemente um efeito positivo sobre a eliminação dos sintomas da SPM."

Os sintomas sentidos durante o ciclo pré-menstrual podem ser um sinal da Natureza de que o seu organismo necessita de cuidados extras, bem como de uma alimentação mais adequada, durante esse período. Fique alerta para as suas necessidades físicas. Alimente-se. Cultive hábitos alimentares simples. Você estará aumentando as suas chances de lutar, com sucesso, contra a SPM... e até mesmo de eliminá-la!

6

PROGESTERONA, A CHAVE PARA O CONTROLE DA SPM ?

Durante os anos 30, vários grupos de pesquisadores científicos anunciaram a descoberta da *progesterona*, um dos principais hormônios sexuais secretado pelas mulheres durante suas vidas reprodutivas.

Produzida pelos ovários, pelas glândulas adrenais e pela placenta, nas mulheres grávidas, a progesterona prepara o útero para a recepção do ovo fertilizado e causa o desenvolvimento das mamas durante a gravidez e após o parto.

Desde a sua descoberta, esse hormônio tem sido tão intimamente associado à SPM, que foi sugerido e prescrito como meio de manter os sintomas sob controle.

Número incontável de mulheres (e de homens que convivem com elas) tornou-se tão ávido por uma "cura", que impulsivamente olham para esse hormônio como uma arma mágica. E, em estudos clínicos, verificou-se que é útil no sentido de que acalma os sintomas e reduz a severidade da SPM. Mas lembre-se de que o ciclo menstrual encontra-se ainda sob o escrutínio dos cientistas e muitos tipos de medicamentos estão sendo investigados.

Para mais bem compreender o, que a progesterona pode ou não fazer, é preciso conhecer o significado de algumas palavras-chaves.

Progesterona. Um dos dois principais hormônios sexuais femininos. É produzido pelos ovários e pelas glândulas adrenais, bem como pela placenta nas mulheres grávidas. A progesterona natural prepara o útero para a recepção e desenvolvimento do ovo fertilizado. As formas *sintéticas* da progesterona — usadas nos contraceptivos orais — inibem a ovulação. Os farmacêuticos criaram um composto molecularmente idêntico na forma sintética, que pode ser usado, sob a forma de injeção ou supositório, para aliviar os sintomas da SPM.

Progestina. Qualquer substância natural ou sintética, cuja atividade no organismo feminino é semelhante àquela da progesterona ovariana. É um termo genérico, usado permutavelmente com o progestógeno.

Progestógeno. Hormônio feminino semelhante à progesterona. É um dos hormônios esteróides, sintético ou de ocorrência natural, que mantém o curso normal da gravidez. Os progestógenos são utilizados no tratamento contra a SPM. Devido ao fato de impedirem a ovulação, constituem o elemento principal dos contraceptivos orais.

Hormônios esteróides. Substâncias derivadas do colesterol. consistem em três anéis formados cada um por seis átomos de carbono e um anel formado por cinco átomos desse elemento químico. Os esteróides de ocorrência natural incluem o estrógeno feminino, os hormônios produzidos pelo córtex das adrenais, a progesterona, os sais biliares e os esteróis. Os esteróides sintéticos são produzidos para fins terapêuticos.

Durante anos, muitos cientistas teorizaram que, se a causa básica da SPM pudesse ser precisamente eliminada, haveria, então, a possibilidade de cura. Pensou-se que uma das possíveis causas fosse um declínio na produção de progesterona. Se a deficiência pudesse ser corrigida, os sintomas da SPM poderiam ser eliminados.

A progesterona foi isolada pela primeira vez por Willard Allen, M.D., em 1943, e foi usada com sucesso para aliviar os sintomas da SPM. Segundo seus trabalhos publicados, a progesterona ajudou muitas mulheres. Ela também abriu as portas para a posterior compreensão da síndrome.

Uma possível causa da SPM foi identificada por Leon Israel, M.D., em 1938, como sendo uma reação descontrolada de estrógeno devida a uma deficiência de progesterona. Subseqüentemente, o Dr. Israel documentou estudos dos níveis de esteróides durante a fase lútea (a parte do ciclo *entre* a ovulação e a menstruação é conhecida como fase lútea), para demostrar que o desequilíbrio entre progesterona estrógeno era o problema. Para milhões de mulheres, a correção do desequilíbrio pareceu ser a solução.

Mas há pontos de vista conflitantes sobre exatamente o que causa a SPM. O Dr. Ronald V. Norris, da Universidade Tufts, diz que a síndrome pode ser realmente uma reunião de várias doenças. "Se a progesterona funciona, pode ser porque alguns casos de SPM são derivados a uma deficiência desse hormônlo e outros porque estão relacionados a alguma anormalidade no eixo hipotálamo-hipófise, sobre o qual a progesterona tem algum efeito."

1. Hospital Escola da Universidade. (N. T.)

A Dra. Katharina Dalton, da University College Hospital[1], em Londres, uma das pioneiras da SPM e fundadora da Clínica de Síndrome Pré-Menstrual, de Londres, tem repetido, em muitos periódicos sobre medicina, que os sintomas são causados por uma deficiência de progesterona na última fase do ciclo menstrual. Diz ter alcançado 95% de cura no tratamento de mulheres com progesterona natural na forma de injeções ou supositórios. (A progesterona natural é diferente do progestógeno químico, utilizado nas pílulas anticoncepcionais, que vem sendo associado à formação de coágulos sanguíneos e outras reações.) Seu procedimento está sob exame científico e tanto tem recebido aplausos quanto críticas.

A Dra. Dalton alertou o mundo para a possibilidade de solução do enigma hormonal da SPM com algo tão simples quanto a progesterona. Em seu livro *Uma vez por mês*, ela nos oferece inúmeros históricos de casos de mulheres, que sofreram desde sintomas benignos até aqueles bizarros e conseguiram se livrar do tormento da SPM através do uso de suplementos de progesterona.

O método prático da Dra. Dalton consiste em administrar a progesterona em dosagens superiores àquelas produzidas normalmente pela própria mulher durante o ciclo menstrual normal. Tais megadoses hormonais segundo a Dra. Dalton, são consideradas seguras.

A progesterona é produzida a partir de inhame e plantas de soja. Não pode ser tomada sob forma de pílula, porque, devido ao fato de ser um hormônio natural, é rapidamente quebrada pelo sistema digestivo e eliminada do organismo, antes de poder agir.

Assim, num tratamento prescrito, encontra-se disponível nas seguintes formas:

Injeções: Dizem que são dolorosas, com efeitos colaterais tais como vertigens, amenorréia, menstruações adiantadas ou atrasadas, aumento ou diminuição do fluxo, flutuação de peso, alteração da atividade sexual. Devido ao fato de criar uma sensação de euforia, pode criar dependência.

Supositórios vaginais: Estes vazam. Algumas vezes causam irritação vaginal ou retal. O pó dá origem a uma reação cáustica; o líquido tem de ser inserido com uma seringa untada, para dizer no mínimo, pouco confortável.

Suplemento líquido: Quando introduzido na vagina, causa irritação.

Suplemento em pó: Este pode ser colocado sob a língua ou no reto. Em ambas as situações, é desconfortável e pode causar náuseas.

Dosagem dos supositórios: Basicamente, a mulher começa com uma dosagem de 200 mg diários, durante a fase pré-menstrual. (Tal quantidade contrasta com a dosagem de 0,3 a 2 mg da maioria das pílulas anticoncepcionais.) Se os sintomas não diminuírem, então administram-se de 400 a 1.600 mg por dia.

O uso da progesterona é ainda objeto de controvérsias e é um assunto altamente individual, que deve ser discutido pela paciente e seu médico.

"A Food and Drug Administration (FDA) ainda não aprovou a produção em larga escala da droga, mas os médicos não são proibidos de prescrevê-la. Há dados ligando a progesterona ao câncer em animais de laboratório", avisa o *Science News*. "A principal evidência que dá suporte à terapia com progesterona provém da Dra. Kattharina Dalton, que vem tratando pacientes portadoras da SPM com a droga, durante muitos anos; ela estima que, se a SPM for cuidadosamente diagnosticada, cerca de 80% das pacientes devem responder ao tratamento com progesterona. Porém, ela nunca fez estudos sistemáticos, controlados."

Também é preciso fazer menção à razão da confusão. O Dr. Jean Endicott, um psicólogo da Columbia University, explica que todas as pesquisas existentes tinham misturado uma ampla gama de sintomas, colocando-os sob a mesma denominação de SPM. "Não existe nenhuma síndrome pré-menstrual", diz ele. "Algumas mulheres ficam ansiosas e agitadas. Algumas ficam irritadas; outras, letárgicas e comilonas, enquanto que outras, ainda, têm insônia e não conseguem comer. É altamente improvável que as mesmas variáveis biológicas estejam envolvidas com a insônia e a letargia."

Há diferentes tipos de SPM, alguns mais severos do que outros, o que poderia dificultar a prescrição de uma cura única (a progesterona) para todas.

A progesterona sob forma de supositório parece ser a mais bem tolerada pela maioria das mulheres. Os farmacêuticos podem preparar supositórios sob prescrição médica. Mas para um fabricante produzi-los *em massa*, é preciso pesquisar muito ainda e é necessário também obter a aprovação pela FDA, antes da liberação da produção.

A Dra. Katharina Dalton insiste na segurança das megadoses do hormônio. "É impossível dar uma overdose de progesterona a uma mulher que já tenha dado à luz, devido ao fato de as mulheres grávidas estarem expostas a um aumento de 15 vezes nos níveis sanguíneos de progesterona por nove meses, ao invés de apenas duas semanas, e o organismo aprendeu a lidar com isso", diz ela.

E o que dizer daquelas mulheres que nunca ficaram grávidas? A Dra. Dalton concede que, com megadoses de progesterona, tais mulheres podem, ocasionalmente, experimentar cólicas menstruais, euforia, energia nervosa e períodos de insônia. Mas ela rotula tais efeitos de "efeitos colaterais *menores*". Novamente aqui, uma vez que cada mulher é diferente, podemos dizer que aquilo que é menor para uma, pode ser maior ou desastroso para outra.

O LADO NEGATIVO DA PROGESTERONA

Proponentes dizem que a progesterona é um hormônio natural, que elimina uma deficiência orgânica, a qual, acredita-se, seja a responsável pelos sintomas. Mas um supositório de progesterona é um suplemento natural? Muitos médicos dirão que esse suplemento tem as mesmas propriedades da progesterona produzida organicamente e que, portanto, pode ser considerado natural.

Fato: A ÚNICA progesterona natural é aquela produzida pelo organismo!

Fato: O produto "natural" dado a você através de uma prescrição, foi manufaturado num laboratório. É *sintético*!

Fato: O supositório, líquido ou comprimido prescrito é um "gêmeo molecular" da progesterona produzida pelo ovário. Assim, nesse sentido, pode ser considerada "natural", mas está longe de ter sido criada pela Natureza em seu próprio corpo!

Segundo várias pesquisas, o uso da progesterona tem suas desvantagens, sem levar em consideração se ela alivia ou não os sintomas causados pela SPM. Por exemplo:

- Estudos realizados pela FDA com animais de laboratório demonstram que altas dosagens de progesterona, durante um certo período de tempo, podem alterar o metabolismo orgânico.
- Progestógenos sintéticos (note: sintéticos!) foram injetados em cães da raça *beagle* e causaram câncer de mama. Tais progestógenos freqüentemente têm efeitos adversos semelhantes àqueles da progesterona.
- Os supositórios freqüentemente causam corrimentos vaginais. (Isso pode ser evitado pelo uso de tampão.)
- Um excesso de progesterona pode causar ressecamento da vagina, o que pode interferir no relacionamento sexual. (Os médicos sugerem a inserção do supositório após o ato sexual.)
- Para algumas mulheres, o aumento dos níveis hormonais diminuem a urgência sexual. Algumas têm uma perda da libido. Outras, porém, dizem que sua urgência sexual torna-se mais forte, devido à sensação geral de bem-estar.
- O ciclo menstrual normal pode ser afetado, de modo a se apresentar

antes do que seria o período normal. Por outro lado, a progesterona pode também aumentar o período menstrual, bem como a quantidade do fluxo.

- As desordens no fluxo durante a menstruação constituem outro dos problemas relatados, com o uso desta substância.
- A progesterona é rapidamente eliminada pelo organismo. Se uma mulher estiver sob um regime de, por exemplo, duas inserções diárias e esquece tal regime por um dia, isso imediatamente provoca a menstruação.
- Se a mulher continua a usar a progesterona além da data de sua menstruação, o excesso de suplementação hormonal tornará mais espessa a parede uterina. Quando o tratamento é interrompido, pode haver um sangramento excessivo ou hemorragia. **Importante**: A medicação com progesterona precisa ser tomada especificamente de acordo com o calendário menstrual; coordene-a com a chegada antecipada dos sistomas da SPM.
- Tomar progesterona pela primeira vez pode levar à ocorrência de rubores quentes, temporários, mas irritantes.
- A mulher que usa progesterona pela primeira vez também terá uma alteração na cor do fluxo menstrual, que se deve amplamente a uma redução do fluxo.
- A vagina reage à progesterona. Pode haver inchaço, infecções por leveduras, coceiras vaginais. *Obs*.: tais reações são induzidas pela elevação dos níveis de progesterona e *não* pelo tipo de supositório empregado. Você pode usar um supositório retal e mesmo assim apresentará tais sintomas.
- Há relatos de reações tais como cólicas uterinas, náusea, irritabilidade, sensibilidade mamária, fadiga e insônia. Esses sintomas freqüentemente são causados por dosagens inadequadas ou porque a medicação não está sendo tomada nos horários indicados.

O uso da progesterona pode variar desde uns poucos meses até vários anos. Em geral, a dose total pode ser reduzida a um mínimo diário e usada apenas nos últimos quatro a oito dias do ciclo.

Em seu livro *Cycles*, a Dra. Patricia Allen faz algumas afirmações a respeito do uso deste suplemento:

"A Dra. Katharina Dalton relata os resultados excelentes por ela obtidos, através da administração de progesterona natural, uma substância obtida do inhame, que é semelhante àquela produzida pelo organismo humano. Tal administração é feita através de injeções ou de supositórios.

"Não há riscos conhecidos do uso prolongado de tal tratamento, exceto a possível inconveniência de uma interrupção ocasional do fluxo e há relatos de 50 a 70% das mulheres, que inicialmente apresentavam sintomas severos, que alegam um alívio significativo já no primeiro mês."

A Dra. Allen diz que, "a menos que seus problemas sejam extremos e debilitantes, você provavelmente poderá controlar eficazmente a SPM, sem recorrer à cara terapia hormonal.

"Na maioria dos casos, a rotina nutricional correta pode corrigir os desequilíbrios fisiológicos — tanto em casos de baixa quantidade de progesterona, quanto naqueles em que há falta ou excesso de prostaglandinas, deficiências vitamínicas ou minerais ou algumas combinações dessas condições.

"Exercícios aeróbicos e de relaxamento juntamente com técnicas anti-*stress* poderão posteriormente ajudar a manter a SPM sob controle."

VITAMINA B_6 PARA A SALVAÇÃO

Em resumo, o desequilíbrio hormonal é a principal causa da SPM. O estrógeno é um hormônio proliferador de células. A progesterona é o antídoto para o excesso disso. Como se pode aumentar a produção *natural* de progesterona, cujo fornecimento está baixo e que pode ser o culpado pela ocorrência dos sintomas?

Alguns pesquisadores sugeriram o uso da vitamina B_6 (piridoxina) como parte de um programa de suplementação vitamínica, empregando todo o complexo B. A importância dessa vitamina é explicada por Michael G. Brush, M.D., um médico bastante conhecido, que nos diz que: "Acredita-se que a quantidade inadequada de piridoxina pode romper a conexão hipotálamo/hipófise, que pode levar a uma série de desequilíbrios químicos cerebrais, tais como baixos níveis de serotonia, um neurotransmissor [baixos níveis de serotonina são a causa possível de depressão] e de dopamina, um outro neurotransmissor.

"Uma quantidade muito baixa de dopamina pode resultar num excesso de prolactina, um hormônio que adversamente pode afetar os ovários e as mamas e talvez o equilíbrio hídrico do organismo."

Qualquer coisa que afete ou prejudique o funcionamento adequado do hipotálamo, pode causar flutuações nos níveis hídricos, no apetite, no metabolismo e na disposição. Essa mesma alteração nas funções hipotalâmicas pode causar também sintomas pré-menstruais severos.

Os Drs. Allen e Brush concordam que o uso da piridoxina juntamente com uma prescrição de cápsulas de complexo B de alta dosagem poderia ajudar a manter a boa saúde hipotálamo/glandular e reduzir ou mesmo eliminar os sintomas. A vitamina é um estimulante *natural* da produção de progesterona e este é o nome do jogo para se libertar da SPM!

A FDA APROVARÁ A PROGESTERONA?

Atualmente, sob certas formas e para certas condições, a progesterona é aprovada pela FDA. Mas os supositórios de 400 mg, que a Dra. Dalton recomenda para o tratamento da SPM, não o são. Por quê?

Para que a aprovação da FDA seja dada, é preciso que estudos duplamente cegos sejam efetuados, a fim de que a eficácia da progesterona no tratamento da SPM possa ser provada. Em geral, a indústria farmacêutica recupera os custos enormes desses estudos pela obtenção das patente da droga que estão testando. O custo da colocação de uma nova droga no mercado pode atingir US$ 74 milhões! Os direitos de patente para o processo de extração da progesterona terminaram há vinte anos. Portanto, nenhuma indústria poderia produzir os supositórios exclusivamente. Isso pode explicar a relutância em assumir os custos de tais estudos. Conseqüentemente, não parece haver qualquer possibilidade de uma decisão por parte da FDA, tanto a favor quanto contra, e os supositórios continuarão a ser preparados individualmente nas farmácias, nas dosagens prescritas. E os riscos continuarão!

Cuidado: Exceto para uso limitado, em dosagens baixas (5 ou 10 mg, sob forma de injeção, para corrigir períodos irregulares e sangramentos uterinos), o uso da progesterona corre pela própria conta e risco do paciente, pois dosagens mais altas não são aprovadas pela FDA.

NÃO É UM REMÉDIO MILAGROSO

Para algumas mulheres, a progesterona pode oferecer o alívio que buscam, mas é preciso pagar o preço das reações e efeitos colaterais. Para aquelas mulheres que suportaram a SPM por muitos anos, a progesterona não consegue apagar completamente os problemas físicos, emocionais e sociais passados. É muito útil para algumas mulheres e menos para outras. Somente as suas próprias reações e os conselhos de seu médico é que podem ajudá-la a decidir se quer usá-la ou não.

Você pode estimular a sua produção natural de progesterona, que pode eliminar reações causadoras de cólicas (entre outros sintomas) devidas ao excesso de estrógeno, simplesmente empregando métodos naturais.

O Dr. Niels Lauersen, M.D., sugere este programa composto de três passos básicos:

1. Experimente aquecer as áreas doloridas. Uma compressa ou bolsa de água quente colocada sobre ou dorso ou abdômen pode relaxar o útero e eliminar as cólicas.

2. Experimente tomar vitaminas B_1 e B_6. Uma combinação sugerida consiste de pelo menos 10 mg de B_1 com cera de 200 mg de B_6. Isso pode ajudar a regular o seu ciclo menstrual e diminuir a concentração de sangue em seu útero, reduzindo dessa maneira o nível de prostaglandina, o que ajuda a acalmar a dor.

3. O exercício feito regularmente reduz a quantidade de tecido adiposo, diminuindo, assim, o fluxo menstrual, reduzindo os níveis de prostaglandinas e elevando aqueles da progesterona. O exercício é também um tranqüilizante natural, o que pode ajudar a reduzir a tensão. Experimente esta "postura confortável": deite-se de costas e dobre os joelhos trazendo-os até o peito. Depois, segure os joelhos com as mãos e empurre-os em direção às axilas. Enquanto estiver nessa posição, mova os pés em círculos.

Estes três passos promoverão um melhor equilíbrio hormonal e uma liberdade maior em relação à maioria dos sintomas da SPM... obtidos de maneira natural.

7

COMO REDUZIR OS ESTADOS MELANCÓLICOS ESTRESSANTES

A SPM foi originalmente denominada TPM, Tensão Pré-Menstrual. Tal reação estressante constitui apenas um dos aspectos da síndrome (daí seu novo nome), mas é um dos mais comuns e aquele que mais necessita de tratamento.

Os efeitos emocionais da SPM podem ser devastadores e incluem depressão profunda, tensão, ansiedade, irritabilidade e fadiga. Podem chegar à violência física. O desequilíbrio hormonal pode levar a drásticas alterações de humor. Assim, é bastante útil experimentar uma série de métodos diferentes, que ajudam a acalmar os problemas emocionais causados pela SPM.

"Da rede de portadoras de SPM, você ouve, quase com terror, toda uma outra série de histórias", escreve Jennifer Allen na revista *New York*. "A mulher que tentou afogar seu bebê e a mãe que perseguiu seus filhos ao redor da casa com uma 22, porque estavam nervosas, tentativas de suicídio, espancamentos de maridos, divórcios.

"Vidas falidas, arruinadas, por causa de bestas invisíveis que se escondem dentro delas. É assim que as mulheres falam dela também: um "monstro", um fenômeno Jekyll e Hyde."

O Dr. Niels H. Lauersen explica por que isso acontece: "Quando uma mulher está sob *stress*, sua SPM definitivamente se intensifica... O sistema nervoso e o endócrino, ou hormonal, no organismo compõem o sistema neuroendócrino, que é o termo médico que define a complexa e sensível interação entre os sinais nervosos do cérebro e os hormônios oscilantes do organismo.

"Os sinais cerebrais transmitidos pelos nervos afetam a liberação dos hormônios cerebrais provenientes do hipotálamo e hipófise, que, por sua vez, disparam a ação hormonal em outras partes do corpo.

"Assim, embora o desequilíbrio hormonal da mulher seja responsável pela presença da SPM, este desequilíbrio se inicia nas secreções químicas cerebrais, que respondem diretamente ao *stress*. De fato, um nível mais elevado de *stress* pode inibir a liberação dos hormônios a ponto de tornar a síndrome insuportável."

AS VITAMINAS PODEM AJUDÁ-LA A RELAXAR... NATURALMENTE

Há a possibilidade de que o stress relacionado à SPM esteja ligado a uma deficiência de vitamina A. Isso foi observado pelo Dr. S. Simkins, um endocrinologista, que usou a vitamina A como tratamento de glândulas tireóides hiperativas. Ele verificou, coincidentemente, que o uso dessa vitamina "curou" a síndrome pré-menstrual de uma mulher. Porém a dosagem deve ser prescrita por um médico, de acordo com suas necessidades individuais. E, embora o Dr. Simkins tenha sido capaz de aliviar os *stress* da SPM com tal vitamina, talvez ela não seja necessária à sua condição específica.

Também há muita pesquisa sendo realizada para mostrar que a vitamina B_6 (piridoxina) influencia o *stress* pré-menstrual. Quando você se sente tensa, deprimida, facilmente irritável, pode muito bem ter uma deficiência de B_6. Tal deficiência é responsável pela diminuição nas produção de dopamina e serotonina, dois neurotransmissores que são necessários ao equilíbrio correto que lhe dá a sensação de calma. Se você apresentar um desequilíbrio entre estrógeno e progesterona, precisa mais ainda da vitamina B_6 que ajuda a estabilizar o seu humor. Esse nutriente também ajuda a reduzir a retenção de água e o aumento do apetite.

Leon Zussman, M.D., diplomata do Conselho Americano de Ginecologistas e Obstetras, diz que "o complexo B é essencial à saúde do fígado. E o fígado desempenha um papel-chave na neutralização de quantidades excessivas de estrógeno, produzido pelos ovários durante o curso do ciclo menstrual normal". Isso significa que a B_6, juntamente com o restante da família B, poderia ajudar a protegê-la contra o inchaço e nervosismo, que ocorrem na fase pré-menstrual.

Além disso, o conhecido pesquisador da vitamina B_6, John M. Ellis, M.D., de Mt. Pleasant, Texas, em seu livro *The Doctor Who Looked at*

Hands: Vitamin B_6, elogia este nutriente por ser capaz de aliviar aquela sensação de excesso de peso, de inchaço, que muitas mulheres experimentam mais ou menos uma semana antes da menstruação.

Uma enfermeira queixou-se ao Dr. Ellis que, na metade do seu ciclo menstrual, seus dedos inchavam tanto que não podia usar anéis e nem datilografar com conforto. O Dr. Ellis prescreveu dois comprimidos diários de B_6, de 50 mg, por cinco dias. Após dois dias, a enfermeira já sentiu a melhora. No terceiro dia, já podia usar anéis, datilografar e dormir melhor. Durante os doze meses seguintes, ela tomou um comprimido de 50 mg diariamente e ficou livre da dor e do inchaço causado pela SPM.

É importante também considerar a vitamina E, especialmente porque se acredita que tenha propriedades analgésicas semelhantes àquelas da aspirina e tais propriedades podem ser obtidas de uma forma totalmente natural (alfa-tocoferol).

G. E. Desaulniers, M.D., do famoso Shute Institute, em Londres, Ontário, Canadá, observa que a vitamina E é uma àrma excelente contra a dor e o inchaço pré-menstrual. É um inibidor de prostaglandinas, como a aspirina, mas na maioria dos casos, não produz qualquer efeito colateral indesejável. É também conhecida por ser capaz de melhorar a circulação. O Dr. Desaulniers teoriza que as cólicas menstruais poderiam ser causadas por uma redução do fornecimento sanguíneo, quando o músculo uterino se contrai vigorosamente. ''Quando o problema é esse'', diz ele, ''a vitamina E, ao promover um melhor suprimento vascular, reduz o espasmo muscular, como o faz com outros grupos musculares do organismo, e reduz a necessidade de oxigênio do útero, o que, conseqüentemente, reduzirá a dor resultante''.

Lembre-se de que a vitamina E protege contra a oxidação de substâncias graxas (vitamina A, ácidos graxos essenciais, hormônios sexuais e da hipófise e adrenais) e isso ajuda a diminuir o risco das reações causadas pelo *stress*.

O CÁLCIO AJUDA VOCÊ A MANTER A CALMA

Esse mineral influencia a ação das fibras musculares, ao auxuliar a contração muscular normal. Por exemplo: se você já tiver tido espasmos ou câimbras musculares nas panturrilhas (barriga da perna), talvez tenha notado que o cálcio é capaz de evitar esse problema. É possivel que as cólicas mentruais sejam causadas por um mecanismo semelhante; antes de tudo, o útero é um músculo e a cólica menstrual pode ser causada por contrações excessivas do músculo uterino.

Há também uma ligação entre o cálcio e o estrógeno. O estrógeno ajuda o seu organismo a armazenar e utilizar o cálcio mais eficientemente. Sabemos disso porque a quantidade de estrógeno decresce nas mulheres que se encontram no período pós-menopausa, elevando o risco da descalcificação óssea, condição conhecida como osteoporose.

Os níveis de estrógeno flutuam ciclicamente a cada mês. Há um nível alto que ocorre na metade do ciclo, quando começa a retenção de água. Há um nível baixo antes do início da menstruação, quando as cólicas e o *stress* são mais severos.

O cálcio pode agir como guardião do estrógeno e vice-versa. Para muitas mulheres, o uso de carbonato de cálcio — preferivelmente com quantidades moderadas de outras vitaminas e magnésio (numa proporção de 1:2 com cálcio) — pode reduzir o *stress* e a disfunção. Pode até mesmo evitá-lo!

O PROGRAMA DE SUPLEMENTAÇÃO DO DR. LAUERSEN

O Dr. Niels Lauersen diz que é importante para a mulher "tirar de sua vida os elementos provocadores de *stress*, para desbloquear os hormônios cerebrais que, quando bloqueados, impedem que os óvarios produzam as quantidades necessárias de estrógeno e progesterona".

O Dr. Lauersen acha que a suplementação vitamínica pode ajudar a acalmar a portadora da SPM. Ele sugere o seguinte programa para o alívio do *stress* da SPM:

Vitamina E — 800-1000 UI por dia
Vitamina D — 400 UI por dia
Cálcio — 2 a 3 g por dia
Complexo B — 300 a 800 mg por dia (com dosagem extra de B_6)
Zinco — 50 mg por dia
Vitamina C — 1000 mg por dia

O Dr. Lauersen sugere que "através de programas de suplementação vitamínica e de exercícios e relaxamento, tais como aulas de yoga e alongamento, a mulher pode transformar a maneira pela qual seu organismo experimenta os sintomas e pode reverter o curso de sua SPM''.

ONZE MANEIRAS DE DIMINUIR O STRESS DA SPM

A nutrição deve ser a base de seu programa para melhorar a saúde e reduzir o *stress* antes, durante e depois da menstruação. Lembre-se de que seus processos biológicos estão em desordem. Você pode se atirar sofregamente sobre problemas menores. Pode achar difícil conviver com outras pessoas. A ansiedade pode encostá-la à parede. Com o uso adequado da nutrição, você pode eliminar tais reações. E, com alguns ajustes no seu estilo de vida, poderá lutar contra a situação e eliminar grande parte do *stress*.

Experimente a orientação dada abaixo. Seja determinada e persistente. Os resultados serão dignos de seu melhor esforço, tanto se o seu for um caso de desordem suave ocasional, que a maioria de nós experimenta vez ou outra, quanto se for um daqueles mais duradouro e severo. Quanto mais você se aplicar neste programa, mais livre estará da SPM.

1. Ponha para fora. Quando algo a preocupa, não esconda isso. Fale de sua preocupação a alguém de sua confiança — seu marido, seu pai, sua mãe, um bom amigo, o médico da família, algum professor ou conselheiro. Colocar as coisas para fora ajuda a aliviar a tensão, a ver as coisas com mais clareza e, freqüentemente, a ver o que é possível fazer a respeito.

2. Fuja por algum tempo. Algumas vezes, quando as coisas vão mal, é bom fugir de um problema doloroso, *por algum tempo*, para ver um filme, ler um livro ou mesmo uma rápida viagem, para uma mudança de cenário. tornar-se ''sempre presente e sofredora'' é uma forma de autopunição, não uma maneira de resolver o problema. É perfeitamente real e saudável querer fugir por um tempo suficiente para recobrar a saúde e o equilíbrio. Mas esteja preparada para voltar e lidar com a situação, quando estiver mais recomposta e quando você e as outras pessoas envolvidas estiverem mais bem preparadas para isso.

3. Livre-se de sua raiva. Se você acha que está usando sua raiva ou zanga como um modo geral de comportamento, lembre-se de que, enquanto a raiva pode lhe dar a sensação temporária de retidão ou mesmo de poder, no final, geralmente você se sente tola e com remorsos. Se você se sente como que escoiceando alguém que a provocou, tente refrear esse impulso por algum tempo. Deixe-o esperando até o dia seguinte. Enquanto isso, faça alguma coisa construtiva com sua energia reprimida. Gaste-a em alguma atividade física, como. por exemplo, a jardinagem, a limpeza da garagem, a carpintaria ou algum projeto do tipo faça você mesmo. Ou jogue tênis ou, ainda, dê uma vigorosa caminhada. Gastar a raiva e congelá-la por um dia ou dois deixará você muito mais bem preparada para lidar com o problema.

4. Ceda ocasionalmente. Se você freqüentemente discute com as pessoas e se sente obstinada e desafiante, lembre-se de que esta é a maneira das crianças frustradas se comportarem. Mantenha sua opinião em relação àquilo que sabe que é certo, mas faça-o calmamente e não leve a mal o fato de que você *poderia* estar errada. E mesmo que você esteja completamente certa, é mais fácil ceder de vez em quando. E se você conseguir fazer isso, o resultado será o alívio da tensão, a obtenção de uma solução prática, juntamente com a sensacão de grande satisfação e maturidade.

5. Faça alguma coisa pelos outros. Se você fica preocupada consigo mesma o tempo todo, experimente fazer algo por outra pessoa. Você verá que muitas de suas próprias preocupações se evaporam e — o que é melhor — terá a satisfação de ter algum bem.

6. Faça uma coisa de cada vez. Para as mulheres portadoras de SPM, um trabalho comum algumas vezes parece insuportável. A opressão parece tão grande, que se torna doloroso tentar resolver qualquer coisa, até mesmo aquelas que mais precisam ser resolvidas. Quando isso acontecer, lembre-se de que tal sensação é temporária e que pode lidar com ela à sua maneira. O modo mais seguro de fazer isso, é pegar algumas poucas tarefas mais urgentes e se atirar a elas, uma de cada vez, deixando de lado, por algum tempo, todas as restantes. Uma vez resolvidas as mais urgentes, você verá que as demais não são tão catastróficas, conseguindo resolvê-las muito mais facilmente. Se você achar que não pode deixar *nada* de lado, reflita: tem certeza de que não está superestimando a importância das coisas que faz — isto é, não está se dando muita importância?

7. Não queira ser a "Supermulher". Algumas portadoras de SPM esperam muito de si mesmas e se encontram num estado constante de ansiedade, pois acham que não estão conseguindo realizar tudo o que deveriam. Tentam ser perfeitas em tudo. Admirável enquanto tentaviva, este é um convite aberto à frustração. Ninguém pode ser perfeito em tudo. Escolha as coisas que você faz bem e aplique-se mais nelas. Normalmente estas são as coisas que você gosta de fazer e, portanto, aquelas que lhe dão mais satisfação. Depois, faça, talvez, aquelas coisas que você não consegue fazer tão bem. Empregue o máximo de seu esforço e capacidade, mas não se sobrecarregue, pois você não pode fazer o impossível.

8. Vá com calma em suas críticas. Algumas pessoas esperam muito de outras e se sentem frustradas, desapontadas, até mesmo "enganadas", quando uma outra pessoa não se comporta como esperavam. A "outra pessoa" pode ser o marido ou um filho, que tentamos encaixar num padrão preconcebido — talvez até transferindo expectativas relativas a nós mesmos. Lembre-se: cada pessoa tem suas próprias virtudes, fraquezas, valores, o seu próprio direito de se desenvolver enquanto indivíduo. Se você se sentir arrasada com as falhas (reais ou imaginárias) dos outros, você realmente se sente assim em relação a si mesma. Ao invés de ficar criticando o comportameto dos outros, procure ver os seus pontos altos e ajude-os a desenvolvê-los. Isso lhe dará mais satisfação e a ajudará a ter uma perspectiva melhor de si mesma.

9. Dê aos outros uma chance. Quando você está sob a tensão da SPM, freqüentemente acha que tem "de chegar lá primeiro" — tem de passar a outra pessoa para trás, mesmo que o objetivo seja algo trivial, como, por exemplo, dirigir seu automóvel pela cidade. Se muitas pessoas se sentem assim, então a vida se torna uma corrida, na qual alguém pode se machucar — fisicamente (como ao dirigir pela cidade) ou emocional e mentalmente — no esforço de viver uma vida completa. Este não precisa ser o caminho. A competição é contagiosa, mas a cooperação também o é. Quando você dá aos outros uma chance, freqüentemente percebe que as coisas ficam mais fáceis para você. Se você deixa de ser uma ameaça para eles, então eles também deixam de ser uma ameaça para você.

10. Torne-se mais "acessível". Muitas mulheres, durante a SPM, têm a sensação de estarem sendo "deixadas de lado", rejeitadas, negligenciadas. Freqüentemente, você apenas imagina que as outras pessoas estão agindo assim, quando, na realidade, esperam ansiosas que você faça o primeiro movimento. Muito provavelmente, você (e não os outros) é quem está se depreciando. Ao invés de se retrair e fugir, é muito mais saudável, e bem mais prático, "colocar-se à disposição" — fazer algumas propostas, em vez de ficar sempre esperando que os outros o façam. Naturalmente, o oposto do retraimento — adiantar-se em todas as ocasiões — é igualmente fútil. Isso freqüentemente é mal-interpretado e pode levar a uma rejeição real. É preciso encontrar o meio-termo. Experimente.

11. Programe a sua recreação. Muitas pessoas levam uma vida tão dura, que não se permitem ter um pouco de recreação — um elemento essencial à boa saúde, tanto física quanto mental, durante a SPM. Você pode achar difícil separar um tempinho para fazer isso. Se assim for, estabeleça uma rotina e programe aquelas horas em que deverá estar engajada em algum tipo de recreação. Em geral, é bom também que você tenha um *hobby*, que a absorva durante algum tempo; um *hobby* ao qual você se atire completamente e com prazer, esquecendo todas as suas responsabilidades.

De acordo com a Associação Nacional de Saúde Mental (EUA), que ajudou a preparar este programa, é igualmente confortante ter fé em si mesma e nos outros. Mas, se você achar que a SPM ainda a deixa nervosa, deve procurar o auxílio de um especialista, que será capaz de ajudá-la a lidar com a situação.

MANEIRAS RÁPIDAS DE REDUZIR O STRESS

Uma vez que você saiba que tem SPM, pode rápida e facilmente reduzir o risco de *stress*, simplificando sua vida durante o ciclo.

Por exemplo: deixe a limpeza da casa para depois. Uma exceção talvez seja aquela necessidade de fazer uma limpeza ali e naquela hora, o que pode funcionar como uma boa terapia.

Peça a seus filhos e/ou marido para ajudá-la nas tarefas diárias, tais como fazer compras, lavar os pratos e até mesmo cozinhar.

Se você tem alguns compromissos programados, tente adiá-los até que se sinta capaz de lidar com as responsabilidades envolvidas. Se isso não for possível, resolva um ou dois dos mais importantes.

Você tem de ir a um jantar? E ele bate exatamente com o seu período pré-menstrual? Mantenha sempre à mão um calendário, no qual deve marcar os dias em que os seus sintomas ficam piores. Assim, pode evitar atividades estressantes durante esse período.

Prepare uma lista de tarefas; faça apenas aquelas mais necessárias. Adie tudo o que pode ser adiado. Adquira o hábito de dizer: ''Desculpe, não esta semana'' ou ''Na semana que vem''. Não é preciso dizer a todo mundo (exceto àqueles que compreendam) que você tem SPM. Esta é, antes de tudo, uma situação pessoal.

Seja realista. As coisas podem confundir você muito facilmente. Prepare-se para isso. Seja honesta e diga-se que está se sentindo assim por causa de sua disfunção glandular. Bata um papinho estimulante consigo mesma — bem alto, se for preciso. Acaricie seu ego. Convença-se de que ''Isso também passará''. Um pouco de auto-encorajamento e um tapinha nas costas podem fazer maravilhas. Você se sentirá capaz de enfrentar os desafios diários antes, durante e depois de seu período menstrual com autoconfiança.

Você não conseguirá ter uma vida completamente livre de *stress*, com ou sem SPM. Assim, é importante que desenvolva maneiras de lidar com ele. Seja grata a um fato biológico. A SPM é previsível. Você sabe quando acontecerá. Pode se preparar para enfrentá-la. E enfrentá-la com êxito.

8

PREPARO FÍSICO PARA CONTROLAR A SPM

Está subindo pelas paredes? Então, caiu nas garras da SPM. Não fique aí sentada — mexa-se! O preparo físico pode ajudá-la a amansar essas reações hormonais. Ajuda a liberar a tensão criada pelo *stress*. Quanto mais oxigênio entra em seus pulmões, maior o seu batimento cardíaco, melhor a circulação sanguínea, maior a "liberação" de seus hormônios que, conseqüentemente, circulam muito mais livremente. Você se sente muito melhor.

Além disso, o exercício não apenas alivia a dor causada pela SPM, mas, quando realizado diariamente, ajuda a prevenir contra cólicas e outros problemas mentruais, antes que comecem.

Segundo o Conselho de Educação Física, sete ou oito em cada dez mulheres portadoras de SPM são negligentes em relação ao preparo físico. De acordo com o conselho, o exercício age de muitas maneiras no alívio das reações comumente associadas à SPM. O exercício físico elimina a constipação, através do aumento das contrações intestinais. Ajuda a proteger contra a retenção de água, pois faz suar. Também promove a melhor oxigenação do sangue, ao induzir a respiração profunda. (Isso ajuda a relaxar o útero, de modo que as contrações dolorosas diminuem.) O exercício reduz o trinômio *stress*-tensão-depressão, por causar um aumento na produção de endorfinas e outros hormônios, que a ajudam a ficar mais disposta.

Quando você exercita grandes grupos musculares, respira mais profundamente e aumenta a oxigenação de todo o organismo, que protege contra cólicas e outros sintomas da SPM. Pense no *jogging*, na natação, no ciclismo, na caminhada vigorosa, na dança. Considere também aqueles exercícios de alongamento para músculos das pernas e costas. Oito semanas de exercícios feitos diariamente por um grupo de trinta e seis universitárias foi um teste realizado por uma equipe de médicos, que se mostrou bastante eficaz, tornando muito mais fácil a vida dessas mulheres durante a SPM. Mais fácil, mais agradável, mais eficaz!

A GINÁSTICA AERÓBICA É A MELHOR

Qualquer exercício vigoroso, sustentado, que eleva e mantém alta a pulsação, é benéfico. Entre todos, o que melhor atinge esse objetivo é a ginástica aeróbica. Essa é uma forma de oxigenação que não apenas condiciona o seu sistema cardiovascular, mas também capacita o seu organismo a metabolizar os carboidratos muito mais completamente.

A ginástica aeróbica também ajuda a liberação da beta-endorfinas, aquelas substâncias naturais semelhantes à morfina, que podem acalmar o nervosismo. Através do exercício feito regularmente, a retenção de sódio e água torna-se bastante reduzida. O exercício também estimula aquele sistema digestivo preguiçoso e os músculos estomacais.

O exercício ajuda a eliminar as tensões físicas e as dores musculares, promovendo um sono mais tranqüilo. A ginástica aeróbica, realizada juntamente com exercícios de alongamento, torna seus músculos mais flexíveis e isso reduz a suscetibilidade às câimbras e cólicas.

Procure manter, durante o seu treinamento aeróbico, uma pulsação 80% superior àquela de seu nível de treinamento aeróbico. Essa é a sua "zona-alvo". Calcule-a subtraindo sua idade de 220 (sua pulsação máxima). Assim, uma mulher de trinta anos deve tentar manter sua taxa de batimento cardíaco em 80% de 190, ou seja, em 152 batimentos por minuto, durante o tempo em que estiver se exercitando.

Para saber se você está dentro de sua zona-alvo, meça a pulsação imediatamente após parar de se exercitar, (O pulso pode ser encontrado na parte interna do punho, exatamente abaixo da base do polegar.). Conte sua pulsação por 30 segundos e, depois, multiplique por dois. Uma vez atingida a zona-alvo durante a prática dos exercícios, verifique sua pulsação pelo menos uma vez por semana, durante os primeiros três meses e, depois, periodicamente.

ANTES DE COMEÇAR

Se você tiver uma vida sedentária ou for um atleta de fim de semana, primeiro é preciso verificar com seu médico em qual nível deve começar. Depois, então, é que pode fazer programas de exercícios adequados.

Se tiver ficado inativa apenas por um curto período, pode querer começar pela natação ou caminhada vigorosa, mais do que pelo *jogging* ou pular corda. Começar pelas atividades menos cansativas torná-la-ão mais preparada, sem extenuar o seu corpo. Quando atingir uma melhor forma, você poderá passar para uma atividade mais vigorosa.

Escolha um horário e dedique-se. Faça exercícios de trinta a quarenta minutos de cada vez. Isso é tudo o que é preciso fazer. Você notará os benefícios num curto espaço de tempo.

Um período de aquecimento é crucial para o sucesso e segurança de qualquer programa de exercícios. Um bom aquecimento é essencial à elevação de seu ritmo cardíaco e respiração, aumentando a circulação, promovendo a vasodilatação e elevando a temperatura corporal. O alongamento simples alivia o *stress* e a tensão de seus músculos, tornando-os mais flexíveis, de modo que podem trabalhar muito mais com risco menor de injúria.

O alongamento é um bom aquecimento. Apenas 10 minutos de alongamento, antes de iniciarem-se os exercícios regulares, aquecerão todo o corpo. O alongamento é gostoso e prepara você para os exercícios seguintes. Experimente alguns dos indicados abaixo.

Alongue o pescoço e a parte superior da coluna. De pé. Relaxe os ombros. Gentilmente, incline a cabeça para a direita, quase tocando o ombro com a orelha. Volte à posição normal e mais lenta e confortavelmente quanto possível, deixando sua boca pender aberta. Faça o mesmo em direção à esquerda. Repita várias vezes, para a direita e para a esquerda.

Ombros, parte superior das costas, peito e pescoço. Faça movimentos lentos, suaves. Leve os ombros totalmente para a frente; em seguida, para cima; depois, para trás e, finalmente, para baixo. Repita na direção contrária.

Alongamento da região lombar e das coxas. Deite-se de costas, com as pernas estendidas e os pés relaxados. Eleve um dos joelhos e segure-o com os dedos. Gentilmente, empurre o joelho em direção ao peito. Mantenha a outra perna esticada no chão. Sustente a posição por alguns segundos e, depois, solte lentamente. Repita com o outro joelho.

Alongamento da região lombar e da parte posterior das pernas. Sente-se no chão, estique as pernas para a frente. Mantenha as costas retas e os pés flexionados. Lentamente sente-se e incline o tronco sobre as pernas. Segure seus tornozelos. Incline a cabeça em direção às pernas o máximo possível que lhe seja confortável. Conte até cinco. Lentamente volte a deitar. Repita três vezes.

Alongamento do corpo inteiro. Deite-se de costas. Mantenha as pernas retas e o estômago relaxado. Abaixe as costas e pressione o chão. Estique os braços acima de sua cabeça. Junte a ponta dos dedos. Permaneça assim, nesse alongamento total do corpo o máximo de tempo possível para você. *Sugestão*: Finja que está numa "roda de tortura" e está sendo puxado em duas direções. Mantenha e lentamente relaxe. Repita várias vezes.

LEMBRE-SE: VOCÊ PRECISA RESPIRAR NORMALMENTE DURANTE A EXECUÇÃO DESSES E DOS OUTROS EXERCÍCIOS.

Após a sessão de exercícios, deixe o corpo esfriar lentamente. É preciso dar a seu coração, pulmões e músculos uma chance de se ajustarem ao ritmo normal.

Faça um pouco mais de alongamento suave e respirações profundas; experimente andar, enquanto balança os braços. Tudo isso ajuda a resfriar o corpo. Você pode fazer isso também passando de um exercício mais vigoroso, como pular corda, para um mais suave, como a caminhada ou, então, nadar mais lentamente. Isso permite o relaxamento gradual do corpo.

Cuidado: Parar abruptamente os exercícios pode causar vertigens. Se você estiver correndo, pulando corda ou andando vigorosamente, repita os exercícios de alongamentos, para relaxar os músculos.

EXERCÍCIOS QUE REDUZEM O STRESS

Empurrar a parede

- De pé, diante de uma parede, com os braços esticados e as mãos apoiadas na parede.
- Inale, enquanto dobra os braços e inclina o corpo para a parede. Levante os calcanhares do chão.
- Exale, enquanto empurra o corpo de volta à posição inicial.
- Repita de 15 a 30 vezes.

Abdominais

• Sente-se com as pernas dobradas, as mãos descansando sobre os joelhos e o queixo tocando o peito.

• Exale, enquanto len-ta-men-te se dobra para baixo: primeiro as costas, depois os ombros. Toque o chão com a cabeça.

• Os joelhos devem permanecer dobrados.

• Use os braços para ajudar a voltar à posição inicial.

• Repita cinco vezes.

Caracol

• Deite-se de costas; joelhos dobrados; planta dos pés no chão, braços relaxados ao lado do corpo.

• Pressione um pouco as costas contra o chão.

• Levante a cabeça e os ombros do chão e olhe para os joelhos, enquanto exala.

• Relaxe e repita mais de cinco vezes.

Um joelho só

• Deite-se de costas, com uma perna esticada e a outra dobrada.

• Mantendo a perna esticada, entrelace as mãos atrás do outro joelho e puxe-o para o peito, enquanto exala. Mantenha.

• Alterne as pernas e repita.

• A parte inferior das costas e a cabeça devem permanecer no chão o tempo todo.

• Repita mais de 15 vezes.

Elevação lateral das pernas

(Para os quadris, coxas e cintura)

• Deite-se sobre um dos lados do corpo, com a cabeça descansando confortavelmente sobre o braço estendido. O outro braço e mão descansam sobre o chão, à frente de sua cintura (para manter o equilíbrio).

• A perna de baixo deve ficar dobrada, para proteger as costas.

• Exale, enquanto lentamente eleva a perna de cima; inale, enquanto lentamente a abaixa.

• A perna de cima deve permanecer esticada e os dedos dos pés devem apontar para a frente, o tempo todo.

•Repita com a outra perna.

Exercício calmante

•Deite-se de costas, joelhos dobrados.

•Descanse a cabeça sobre uma toalha dobrada, as costas sobre o chão e as mãos descansando confortavelmente sobre o abdômen.

•Respire calmamente, sem fazer qualquer esforço para inalar profundamente, até que se sinta relaxada.

•Enquanto você procura inspirar um pouco mais profundamente, deixe seu abdômen subir; depois, len-ta-men-te exale pelos lábios (fazendo beicinho), deixando o abdômen relaxar, voltando para baixo.

•Repita quantas vezes desejar.

Flexões laterais

•De pé, com os pés bem afastados.

•Len-ta-men-te, leve um dos braços para baixo, ao longo da lateral externa da perna, enquanto exala. Mantenha.

•Repita para o outro lado.

•Esse exercício também pode ser feito sentada: segure com uma das mãos a parte lateral do encosto da cadeira e leve o outro braço para baixo.

Cuidado: Se você estiver com dores nas costas, não faça este exercício e vá ao médico.

Agachamento Simples

•De pé, com as pernas abertas e os pés voltados para fora, seguindo a direção dos joelhos. Braços estendidos para cada lado.

•Agache com as costas retas, levando os braços para o meio das pernas.

•Retorne à posição inicial, esticando as pernas.

•Repita cinco vezes.

É essencial que você alongue sua coluna (com suas delicadas terminações nervosas), para fortalecer as costas e abdômen e para aumentar a circulação do sangue transportador de nutrientes através dos órgãos reprodutivos. Ao fazer isso, você será capaz de reduzir a desordem causada pela SPM. Os exercícios indicados anteriormente (não se esqueça do aquecimento e resfriamento) servem para reduzir a incidência de *stress* físico e mental. Faça-os regularmente e obterá um alívio incomensurável da SPM.

COMO SE TORNAR MAIS ATIVA DURANTE O DIA

Tire vantagem de qualquer oportunidade para se levantar e se mover. Eis alguns exemplos:

• Use as escadas — tanto para descer quanto para subir — ao invés do elevador. Comece com um lance e gradualmente vá aumentando o número de lances de escadas.

• Estacione o carro a alguns quarteirões do escritório ou da loja e ande o resto do caminho. Ou, se você utiliza os meios de transporte públicos, desça um ou dois pontos antes do seu e caminhe o restante do percurso.

• Faça pausas para se exercitar. Levante-se e estique-se freqüentemente. Ande um pouco. Dê a seus músculos e mente uma chance de relaxarem.

• Ao invés de comer aquele lanche extra, faça um breve passeio pela vizinhança.

• Fique de pé, sempre que possível, ao invés de sentada.

• Limpe sua casa ou apartamento freqüentemente. Este pode ser um excelente exercício.

• Ao invés de ir jantar ou ao cinema, vá dançar. É uma maneira excelente de oxigenar e ativar todo o seu corpo.

A CAMINHADA

Andar é um exercício aeróbico fácil e eficaz. Ele ativa seus músculos, melhora a circulação sanguínea em suas pernas, quadris e área pélvica (onde a congestão é parte da SPM) e estimula a eliminação da tensão.

Tudo o que você precisa é de um par de tênis confortáveis (aqueles apropriados para a corrida são os melhores) e um agasalho folgado. Ande com todo o seu corpo. Mantenha as costas retas e esticadas, a barriga encolhida e os ombros relaxados. Mova as pernas desde os quadris, em passadas longas. Mantenha os braços soltos e deixe-os balançarem naturalmente.

É preciso fazer uma caminhada estimulante e não aquela voltada apenas ao prazer, que é muito "sedentária" e não oxigena o seu organismo. Faça caminhadas vigorosas a uma taxa de 1,5 km/15 minutos. Comece com meia milha (10 quarteirões da cidade). Alterne um quarteirão de caminhada vigorosa com outro de passadas mais lentas. Seu objetivo é caminhar por uma hora (cerca de 6 km) diariamente, 5 dias por semana.

JOGGER

Para começar, é preciso consultar um médico, especialmente se tiver excesso de peso ou ultrapassando os trinta anos. Após a aprovação do médico, programe-se.

Escolha um bom par de tênis de corrida, que têm apoio para o arco do pé, apoio firme para os calcanhares, com um bom acolchoamento que fica sob os mesmos, e uma boa caixa para os dedos dos pés. As roupas devem ser confortáveis, porosas e quentes, se for tempo frio, ou leves, se o tempo estiver quente.

A corrida deve ser feita com o corpo todo ereto; mantenha os quadris na mesma linha dos ombros. Os braços devem permanecer dobrados, com os antebraços paralelos ao solo. As mãos devem ficar na altura da cintura, com os punhos confortavelmente cerrados.

Levante as pernas desde as coxas. Primeiro coloque o calcanhar sobre o solo e depois o restante do pé. **NUNCA** corra sobre a parte anterior dos pés, pois estaria tensionando os músculos das panturrilhas.

Comece lentamente. Você pode começar com uma caminhada vigorosa alternada com jogging. Faça cada um deles de 30 a 60 segundos de cada vez. Comece com apenas 5 minutos. Aumente gradualmente o tempo jogging. Aumente a distância dia-a-dia, semana a semana. *Objetivo:* Apenas 20 minutos de *jogging* por dia, 5 dias por semana.

Lembre-se: você não tem de correr rapidamente. Não está disputando uma corrida. É a distância que importa.

Transforme o *jogging* numa diversão. Faça-o com alguém mais. Reúna um grupo. Encontre outros corredores ao longo do caminho. Planeje a corrida como parte de um passeio à tarde. Explore novos locais.

EXPERIMENTE PULAR CORDA

É como ter um ginásio de esportes portátil — fácil de embrulhar e de usar em qualquer lugar. Não pule com ambos os pés de uma vez. Isso poderia abalar o seu corpo. Ao invés disso, procure uma superfície macia (grama ou carpete) e alterne os pés, enquanto pula. Não é muito fácil pular corda por 12 minutos. Assim, para fazer esse exercício, você precisa, primeiro, fazer um condicionamento através de outras atividades físicas.

Sugestão: Pule como um boxer em treinamento. Use tênis. Para escolher uma boa corda, pise no meio dela e levante as extremidades. A boa corda é aquela cujas extremidades alcançam as suas axilas.

ANDAR DE BICICLETA

Este é um excelente exercício aeróbico. Não chacoalha o seu corpo, porque seu peso não é suportado pelos pés. Você deve andar de bicicleta o máximo possível, durante o dia, quando o tempo permitir, um local qualquer. Você pode colocar a bicicleta no carro e ir para o campo ou para a pista mais próxima ou até o campus universitário. Isso torna esse esporte muito mais interessante.

Use roupas adequadas: quentes, para dias frios, e leves, para dias quentes. Exercite-se por 20 minutos, três dias não consecutivos ou mais por semana.

DANÇA AERÓBICA

Você não precisa sair de casa. Lique o som em alguma música bem vigorosa e dance, indo de aposento em aposento. Desenterre alguns discos de música bem animada e dance por, pelo menos 12 minutos. Estabeleça uma rotina de passos. Apenas não se esqueça de verificar sua pulsação, fazendo os ajustes necessários.

Sugestão: Use tênis comuns e não aqueles de corrida, porque estes não foram feitos para movimentos laterais e podem causar problemas, se usados para dançar.

SUBIR E DESCER DE UM BANCO

Muito simplesmente, esse exercício consiste em subir e descer repetidamente de um banco ou de um degrau de uma escada. Experimente fazê-lo ouvindo e seguindo o ritmo de uma música bem animada. O ritmo transforma esse exercício numa experiência de elevação do ritmo cardíaco.

Para realizar o exercício, suba no banco com o pé direito, trazendo depois o pé esquerdo para o banco. Desça primeiro com o pé direito, descendo, depois, o esquerdo. Alterne o pé. O seu batimento cardíaco é determinado pela altura do banco ou cadeira, que estiver usando. Se a sua taxa de batimentos cardíacos for muito alta, use um banco mais baixo!

NATAÇÃO

Este é um bom exercício para esticar os seus músculos e reduzir a desordem da SPM causadora de cólicas. Ele dá uma Sensação maravilhosa, quando você desliza pela água. Mas, como todo exercício aeróbico, para ser eficaz, precisa ser feito regularmente.

Nade numa piscina grande. Assim, você não precisa ficar virando toda hora. Alterne a natação com outros exercícios aeróbicos, para variar. Nade o mais freqüentemente possível, (Use um maiô bem colorido, bonito, que faça você se sentir bem!).

POR QUANTO TEMPO?

Cada sessão deve ter um período de duração variando entre 25 e 40 minutos e deve incluir:

5 minutos: aquecimento,

15-30 minutos: realização dos exercícios em sua zona-alvo,

5 minutos: relaxamento.

Isso é tudo. Certamente esse pequeno período de tempo, gasto em dias alternados, é um pequeno preço a pagar para o condicionamento de seu corpo, a fim de que tenha uma resistência maior aos efeitos do desequilíbrio hormonal.

MAIS SUGESTÕES ÚTEIS

• Se você fez alguma refeição, evite fazer exercícios por pelo menos

2 horas. Se você fez algum exercício vigoroso, espere cerca de 20 minutos para comer.

• Use equipamento adequado, como, por exemplo, um bom tênis de corrida, com o acolchoamento apropriado nas solas.

• Praticar o *jogging* sobre superfícies duras, como o cimento, pode trazer algum prejuízo. Superfícies mais macias, como a grama, um caminho de terra ou uma pista apropriada, são mais adequados a seus pés, juntas e corpo.

• Se você praticar a corrida ou *jogging*, apoie primeiro os calcanhares e, depois, o restante dos pés. Isso minimiza a tensão sobre seus pés e pernas.

• As praticantes de *jogging* ou da caminhada devem prestar atenção aos carros e usar roupas levemente coloridas, durante o dia, ou uma faixa fosforescente, durante a noite, para que os motoristas possam vê-las. Corram ou andem de frente para o tráfego e não fiquem pensando que os motoristas irão notá-las.

• Se você andar de bicicleta, para evitar problemas, use um capacete e farol e refletores nas rodas, quando for praticar seu exercício à noite. Ande na direção do tráfego. Evite ruas muito movimentadas.

Com um programa regular de educação física, você poderá acalmar as suas reações glandulares e diminuir a descoberta causada pela SPM — talvez eliminá-la para sempre.

9

CÓLICAS MENSTRUAIS: NOVAS FONTES DE ALÍVIO

As prostaglandinas são substâncias, semelhantes a hormônios, encontradas em todas as células de nosso organismo. Pertencem a uma notável família de mensageiros químicos, que participam em muitos de nossos processos biológicos. Acredita-se que um grupo de prostaglandinas seja responsável pelos sintomas associados à SPM.

As prostaglandinas são assim chamadas porque foram isoladas pela primeira vez a partir das secreções da próstata. Mas são encontradas por todo o organismo, incluindo útero, onde afetam a contração e o relaxamento. Exercem efeitos poderosos em quantidades tão pequenas quanto um *bilionésimo* de grama. São substâncias vitais. Causam contrações de músculos involuntários, tais como os vasos sanguíneos, intestinos, coração e útero. São freqüentemente usadas para estimular as contrações do parto.

Nas mulheres, as prostaglandinas são produzidas pelo útero exatamente antes e durante a menstruação, (São responsáveis pelas cólicas e dores sentidas pré-menstrualmente e durante o primeiro ou mais dias do período menstrual.). São necessárias porque é preciso eliminar o revestimento endometrial não utilizado, de modo que, no ciclo seguinte, um novo revestimento possa ser criado para a implantação de um novo embrião. As prostaglandinas produzem as contrações necessárias à eliminação desse revestimento não utilizado. Essas substâncias vêm sendo testadas no tratamento de vários problemas, tais como úlceras nas pernas, doenças de Raynaud (gangrena) e uma espécie de angina, que ocorre quando a pessoa está em repouso. As prostaglandinas (consideradas como ácidos graxos insaturados) auxiliam o tratamento de condições tais como a artrite, desordens cardiovasculares, hipertensão ou pressão alta, alta taxa de colesterol, edema mamário e eczema.

É o *excesso* de prostaglandina que causa intensa dor menstrual. Além disso, altos níveis de prostaglandinas podem causar náuseas, irritabilidade e retenção de água entre outros sintomas da SPM. Falando mais simplesmente, uma quantidade excessiva de prostaglandinas causa contrações uterinas muito mais fortes e freqüentes. Isso leva a espasmos dolorosos e a cólicas uterinas. A situação torna-se pior quando o músculo uterino severamente contraído comprime seus próprios vasos sanguíneos, intensificando a dor. A especialista em SPM Penny Wise Budoff, M.D., professora associada do corpo médico da Universidade Estadual de New York, em Stony Brook, compara tal situação ao corte de sangue do coração. "É uma situação semelhante àquela em que o coração entra em espasmos, durante um ataque cardíaco." Ela descreve quão excruciante a dor (angina) pode ser, sugerindo que haveria uma melhor compreensão da dor menstrual, se ela fosse rebatizada com o nome de "angina uterina".

A ROTA DAS PROSTAGLANDINAS

As prostaglandinas causadoras de cólicas são geralmente controladas pela progesterona. Mas antes da menstruação, há uma queda dos níveis de progesterona e uma correspondente elevação dos de prostaglandinas. O colo do útero (*cervix*), de onde geralmente flui o sangue, se contrai. As prostaglandinas, contidas no sangue menstrual bloqueado dentro do útero, são absorvidas pelos músculos uterinos e começa um círculo vicioso. As prostaglandinas são liberadas, reabsorvidas, novamente liberadas, de maneira cíclica. A dor está pronta para começar.

Enquanto as prostaglandinas seguem seu caminho, o útero se contrai e as cólicas se tornam mais severas. A dor continuará até que o sangue menstrual deixe a vagina, carregando com ele as prostaglandinas. Isso causa o que freqüentemente é considerado como "câimbra uterina". Às vezes, tais contrações uterinas podem ser mais agudas do que as dores do parto.

Se o sangue não pode sair pela vagina, há um retorno para cima, atingindo as trompas de falópio e, depois, a cavidade abdominal. Isso piora as já insuportáveis cólicas e pode predispor a mulher à endometriose, uma doença na qual o tecido que constitui o revestimento do útero (endométrio) espalha-se para outros órgãos.

É importante que você ***não*** espere muito para consultar um médico, se tiver tais cólicas menstruais fortes. Embora possa lutar contra a dor, pode ter problemas sérios como uma infecção ou doença pélvica, que necessitam ter problemas sérios como uma infecção ou doença pélvica, que necessitam de tratamento médico.

Diferentemente dos hormônios sistêmicos, as prostaglandinas são mensageiros locais; influenciam apenas aquela parte do organismo em que são produzidas. Por exemplo: um grupo regula a coagulação sanguínea, outro influencia os movimentos intestinais, outro ainda está envolvido com os batimentos cardíacos e outro controla a respiração.

Mas há um outro grupo que é o culpado pela dor, edema e inflamação que ocorrem na artrite. Há um outro grupo que contrai as paredes dos vasos sanguíneos próximos ao coração, causando as dores lancinantes da angina. E o grupo mais familiar de prostaglandina é aquele liberado pelo endométrio, que força o tecido muscular liso do útero a se contrair, resultando nos espasmos menstruais.

Segundo os pesquisadores W. Y. Chan e M. Yusoff Dawood da Universidade Cornel, de New York, as mulheres que sofrem com períodos menstruais dolorosos, apresentam um nível de prostaglandinas duas ou três vezes maior do que aquele apresentado por mulheres livres de sintomas. Esses dois médicos observam que tais concentrações elevadas são culpadas por contrações fortes, freqüentes e prolongadas, juntamente com pressões mais elevadas dentro do útero; tais contrações são sentidas como dores espasmódicas semelhantes às do parto. Explicam que esse desconforto irradia-se para as costas, bem como para as coxas e pernas, justificando o nome de "síndrome". Além disso, a quantidade excessiva de prostaglandinas reage com as terminações nervosas locais, tornando-as mais sensíveis à dor.

POR QUE AS PROSTAGLANDINAS SÃO IMPORTANTES

Pesquisadores verificaram que, enquanto algumas prostaglandinas são culpadas pelas contrações dolorosas, outras são essenciais aos processos orgânicos. E isso representa um problema para os inibidores de prostaglandinas: ao bloquearem aquelas "más", bloqueiam também as "boas". Tal bloqueio é responsável pelos efeitos colaterais experimentados. Tal verificação levou grande número de cientistas a sugerir que seria mais saudável inibir apenas as prostaglandinas "más". Você precisa daquelas "boas".

OITO FUNÇÕES IMPORTANTES DAS PROSTAGLANDINAS

A bem conhecida ginecologista britânica Caroline Shreeve, M.D., explica que a prostaglandina E1 é necessária a uma série de funções, a saber:

1. Evitar a trombose e reduzir a pressão sanguínea.
2. Dilatar os vasos sanguíneos e aliviar a angina.
3. Reduzir a velocidade de síntese de colesterol.
4. Capacitar a insulina a trabalhar mais eficientemente.
5. Evitar a inflamação e controlar a artrite.
6. Perpetrar ações diferentes sobre o cérebro; nos seres humanos, produz a sensação de bem-estar.
7. Sob condições de laboratório, estanca o crescimento de células cancerosas.
8. Aliviar os sintomas físicos e mentais da Síndrome Pré-Menstrual.

A complexidade desse processo foi inicialmente descoberta por um brilhante e jovem médico britânico, pioneiro na pesquisa das prostaglandinas (PG), David Horrobin. Ele é um antigo professor de medicina da Universidade de Montreal e, posteriormente, deixou-se envolver completamente pela pesquisa no campo das prostaglandinas e no uso de óleo de prímula-da-noite como remédio natural.

Há dois tipos de prostaglandinas. Um é "bom" e outro "prejudicial". "Nem todas as PG são semelhantes", diz o Dr. Horrobin, "e é vital que você estimule o seu organismo, de modo a que ele produza a variedade *boa* em grande quantidade. Pode ser uma diferença mínima, mas faz toda a diferença do mundo, em termos de saúde física e mental".

Segundo o Dr. Horrobin, "o nível de PGE1 é de importância crucial para o organismo. Uma queda no nível de PGE1 leva a uma série potencialmente catastrófica de conseqüências desfavoráveis, incluindo aumento da reatividade vascular, aumento da coagulação sangüínea, produção elevada de colesterol, alterações na liberação de insulina semelhantes àquelas do diabetes, aumento do risco de doença auto-imune, aumento do risco de desordens inflamatórias e da suscetibilidade à depressão".

Níveis adequados de PGE1 são também necessários ao funcionamento normal das células-T (linfócitos supressores de T), do sistema imune (atacam invasores capazes de causar infecção). Além disso, a PGE1 influencia a liberação de substâncias das células nervosas, substâncias essas responsáveis pela transmissão de impulsos nervosos, e regula o movimento estabilizador do cálcio nas células.

O problema de se tomar um medicamento quimioterápico anti-prostaglandina é, como já dissemos, que tal medicamento bloqueará também as prostaglandinas *boas*. Portanto, você talvez bloqueie a dor, mas estará também inibindo processos biológicos essenciais. Além disso, uma deficiência de PGE1, associada a um excesso de prolactina, pode causar mastite cística (também conhecida como tumor mamário benigno ou doença fibrocística da mama, que afeta duas em cada dez mulheres em período de pré-menopausa). Essa condição também pode ser causada pelo uso de medicamentos anti-prostaglandinas, ou seja, quando você induz uma deficiência da PGE1 protetora, o seu organismo torna-se vulnerável aos efeitos da prolactina.

O Dr. Horrobin descobriu que a capacidade orgânica de síntese da PGE1 (a "boa" PG) pode ser induzida por apenas dois alimentos naturais: o leite materno e o óleo de uma planta comum, a prímula-da-noite.

O ÓLEO DE PRÍMULA-DA-NOITE

Membro da família das dicotiledôneas, a prímula-da-noite *(Oenothera biennis)* é uma linda planta silvestre. No final do verão, produz um longo cacho de flores amarelas, semelhantes àqueles da prímula (primavera), que se abrem à noite. Daí o seu nome. Outras variedades apresentam cores diferentes. Em geral, a planta atinge uma altura de 60 a 150 cm. As flores se abrem à noite, hora em que são polinizadas pelos insetos noturnos. São delicadas e sobrevivem apenas uma noite; então fenecem, adquirindo uma tonalidade rósea. São plantas bienais e precisam de dois anos para florescerem. Depois morrem no inverno.

Os índios americanos faziam remédios com todas as partes dessa planta para a cura de doenças da pele, feridas e asma. Seu conhecimento foi compartilhado com os primeiros colonos puritanos, que passaram a usar a planta como remédio natural. Segundo o pesquisador M. Moore, da Universidade do Novo México, "o chefe "Duas-Árvores", da nação Cherokee, verificou que a prímula-da-noite reduz os espasmos e serve como sedativo, analgésico, diurético e adstringente suave. A raiz é empregada no preparo de um xarope para tosse, que é especialmente eficaz contra a coqueluche, a tosse asmática e a tosse de TP. O efeito sedativo varia com a espécie e com a pessoa. Tal efeito se deve ao nitrato de potássio encontrado em todas as partes da planta."

Já em 1614, os colonos americanos introduziram-na na Inglaterra, onde se tornou conhecida como "Panacéia do Rei". Foram particularmente valorizadas as sementes de fina casca marrom, as quais, dizem, contêm os ingredientes curativos. Tais sementes contêm um único nutriente: o ácido gama-linolênico (AGL — abundante apenas num único outro alimento: o leite materno), que fornece ao seu organismo o suprimento necessário de PGE1, a prostaglandina "boa", necessária à proteção contra doenças.

Para aliviar a SPM, seu objetivo deve ser promover a síntese de PGE1, mas sem aumentar a de PGE2, aquela PG prejudicial. Para isso, é preciso aumentar a sua ingestão de ácidos graxos essenciais, particularmente de ácido linoléico, que geralmente é encontrado em óleos vegetais, tais como o de girassol e de açafrão, especialmente o último. Esse ácido, contido no óleo, primeiro é convertido em ácido gama-linolênico (AGL) e, depois, em di-homo-gama-linolênico (ADGL) e finalmente em PGE1.

Mas a capacidade de sintetizar o AGL pode ser impedida por uma carência de ácidos graxos essenciais, deficiências de zinco, de vitamina B_6 e de magnésio, bem como por infecções viróticas, álcool e processo de envelhecimento. Assim, o objetivo é encontrar uma fonte natural de AGL, a substância precursora da PGE1. Uma dessas fontes Naturais é o óleo de prímula-da-noite.

Os óleos vegetais não constituem uma boa alternativa, porque, embora contenham ácidos graxos essenciais e o ácido linoléico necessário, tais óleos passam por muitos processos de refinamento, que reduzem sua eficácia. "Durante tais processos", diz o Dr. Horrobin, "grande parte do ácido cis-linoléico converte-se na forma "trans", a que não pode ser adequadamente utilizada pelo organismo.

"A menos que o ácido linoléico possa ser convertido em AGL, não é de muita valia para o organismo. Portanto, ao utilizar tais óleos, você estará fornecendo pouco AGL, ao seu organismo e a quantidade de PGE1 produzida se reduz. Isso cria a deficiência e o seu organismo se torna vulnerável às doenças. É por isso que o óleo de prímula-da-noite é tão valioso. Ele fornece AGL *diretamente*, ultrapassando o bloqueio químico orgânico."

A PGE1 é vulnerável a toda uma outra série de influências conhecida como bloqueios. Tais bloqueios incluem as "gorduras trans", as gorduras saturadas (de origem animal), álcool, infecções viróticas e câncer. Eles bloqueiam a síntese do grupo PGE1 e isso torna o organismo mais vulnerável à SPM, entre outras doenças. A regra prática aqui é evitar os alimentos processados, que contêm tais gorduras "trans". Esses alimentos incluem: margarina, bolos, doces, cremes, tortas, pudins, gorduras, pães, rosquinhas fritas em gordura de porco, glacês etc.

Niels H. Lauersen, M.D., fala o seguinte a respeito do óleo de prímula-da-noite:

"Uma mulher, que tome uma cápsula de óleo de prímula-da-noite, fornece ao organismo um suprimento de ácido linoléico, que aumenta a produção de prostaglandinas PGE1 (a boa), (O ácido linoléico também pode ser naturalmente encontrado em óleos vegetais, tais como óleo de açafrão obtido a baixa pressão.). A PGE1 reduz a pressão sanguínea, evita a formação de coágulos de sangue, pode reduzir os níveis de colesterol e fortalece o sistema imune. A PGE1 foi experimentalmente utilizada para tratar o alcoolismo, o eczema e a esquizofrenia e também como remédio contra ressaca. Nem tudo o que se diz a respeito da PGE1 foi provado, mas a pesquisa continua."

Por que o óleo de prímula-da-noite é tão útil? O Dr. David Horrobin acredita que o óleo pode influenciar sintomas que se originam da ação do hormônio prolactina. Esse hormônio, sintetizado e armazenado pela hipófise, estimula a produção de progesterona pelos ovários. Uma secreção excessiva de prolactina significa mais progesterona e mais dor. O Dr. Horrobin sugere que tais sintomas podem depender de como os níveis de ácido linoléico reagem com a atividade da prolactina. Acredita-se que "a produção estável de PGE1, que pode ser mantida com o ácido linoléico do óleo de prímula-da-noite, pode suprimir os sintomas da SPM originados pela prolactina".

Um tratamento com óleo de prímula-da-noite foi administrado pelo Dr. M. G. Brush, da Clínica de Síndrome Pré-Menstrual, do Hospital e Escola de Medicina St. Thomas, em Londres. O Dr. Brush deu o óleo a 65 portadoras de SPM, para as quais nenhum outro tratamento tinha dado certo. No final do estudo, 61% das mulheres tinham alcançado alívio total e 23% alívio parcial. Não houve qualquer efeito colateral observável e isso já era esperado, porque o óleo de prímula-da-noite é um produto natural. Além, disso, uma vez que esse óleo estimula a síntese de PGE1, mas não de PGE2, ele *não* bloqueia a produção total de PGE, não alterando, assim os processos biológicos básicos.

O Dr. Horrobin verificou que esse óleo é, de longe, a fonte natural mais rica de ácidos graxos essenciais biologicamente ativos, necessários ao início da reação em cadeia que culmina na PGE1. "Ele contém cerca de 72% de ácido cis-linoléico (a forma ativa) e cerca de 9% de AGL. Quatro de cada cinco mulheres com SPM relataram uma melhora surpreendente com o uso de óleo de prímula-da-noite. Também algumas mulheres com mamas granulosas e doloridas relataram um alívio da dor e uma diminuição do desconforto.''

Michael Schachter, M.D., um médico que se orienta basicamente pela nutrição, de Nyack, N. Y., também emprega o óleo de prímula-da-noite como um tratamento natural para pacientes com SPM. ''Eu o administro às pacientes por um ou dois anos. Parece ajudar muito em casos de síndrome pré-menstrual.

''Eu também prescrevo os co-fatores do óleo de prímula-da-noite, isto é, magnésio, zinco, vitamina B_6 e niacina. Além disso, peço às pacientes para reduzirem seu consumo de gorduras saturadas antes do período menstrual, bem como o consumo de açúcar refinado.

''Pacientes que fazem isso, juntamente com a ingestão diária de 3 a 4 gramas de óleo de prímula-da-noite, geralmente alcançam um alívio significativo. De fato, tenho observado uma melhora de 80 a 90% entre pacientes que sofrem de síndrome pré-menstrual, quando seguem este programa.''

NEM TODOS OS PRODUTOS SÃO SEMELHANTES

Segundo Edward Perkins, Ph. D., que testou uma série de produtos, ''há uma boa chance de que alguém, ao comprar óleo de prímula-da-noite, pague por um produto que não é exatamente aquele que está procurando. De todas as amostras que analisei, cerca de 30% não possuíam qualquer traço de AGL. Ao invés disso, continham óleo de soja, talvez misturado a um outro óleo. Além do mais, o óleo da prímula-da-noite deveria conter de 6 a 8% de AGL, mas tenho encontrado algumas amostras com apenas 1 ou 2%, o que as torna duvidosas''.

Segundo Ann Nazzaro, Ph.D., uma psicobiologista que trabalha em Northampton, Massachusetts, com o especialista em SPM Donald Lombard, M.D., o pruduto deve ser obtido das sementes e *não* das folhas, mais baratas, que não contêm AGL em quantidade suficiente para produzir qualquer benefício. ''Grande quantidade de mulheres que tomam óleo de prímula-da-noite, de repente começam a se queixar de que seus sintomas voltaram e verificamos que estavam utilizando uma marca mais barata.'' A recomendação da Dra. Nazzaro é de que é preciso usar uma marca bemconhecida, que contenha quantidades padronizadas de óleo, obtido de plantas híbridas cultivadas comercialmente e ricas em AGL. Uma cápsula típica deve conter 500 mg de óleo. A dose usual para os sintomas é de 6 a 8 cápsulas de 500 mg por dia. Após vários meses, a mulher se torna capaz de continuar apenas com uma dose de manutenção. "Não há nada de mágico no óleo de prímula-da-noite", diz a Dra. Nazzaro. "Ele simplesmente corrige um desequilíbrio químico."

Leia os rótulos. Certifique-se de que o produto contém ácido gama-linolênico, o ingrediente que o torna eficaz.

As prostaglandinas são substâncias químicas de vida muito curta. São continuamente produzidas pelo organismo, quando e onde forem necessárias. São destruídas tão logo tenham servido a seu propósito imediato. Você não pode deixar seu organismo tornar-se deficiente no que se refere à importante variedade PGE1. Ao usar o óleo de prímula-da-noite, estará ajudando a eliminar os sintomas de síndrome pré-menstrual.

DROGAS QUE ALIVIAM AS CÓLICAS

Alguns produtos vêm sendo usados há muito tempo para o alívio das cólicas menstruais. Examinemos cada um deles, em termos de sua utilidade e possíveis efeitos colaterais.

Aspirina (ácido acetilsalicílico): essa droga popular é usada para aliviar a dor e também para reduzir a inflamação e a febre. Funciona como um agente antiprostaglandinas e anticoagulante, que pode proteger contra a dor associada à passagem de coágulos através da abertura cervical, durante a menstruação. Alguns médicos recomendam a aspirina alguns dias antes do período, para inibir a produção de prostaglandinas.

Cuidado: A aspirina pode irritar o epitélio de revestimento do estômago, causando dores, náusea e sangramentos. Altas dosagens causam vertigens, distúrbios na audição, confusão mental e hiperventilação. Pacientes com úlcera não devem usá-la, uma vez que induz sangramentos estomacais. O zumbido no ouvido pode ser outro efeito colateral. A aspirina tamponada possui um pequeno acréscimo de antiácido. Isso permite que seja absorvida mais rapidamente e reduz os efeitos adversos. Diuréticos que contêm cloridrato de amônia e grandes doses de vitamina C podem entrar em conflito com a aspirina e tornar mais lenta a sua eliminação do organismo, o que pode produzir uma prolongada irritação gástrica.

Acetaminofen. Um substituo da aspirina, que beneficia aqueles que não podem tomá-la. Essa droga age como anticoagulante, mas não causa sangramentos estomacais (dai sua alegada segurança).

Cuidado: O acetaminofen também pode causar náuseas, vômitos, calafrios e sonolência. Doses excessivas podem causar injúria hepática ou renal.

Produtos formulados especificamente para sintomas pré-menstruais e menstruais. Tais produtos contêm uma combinação ínica de ingredientes, que promete ajudar a normalizar a produção de prostaglandinas e relaxar rapidamente as contrações uterinas. Precisam ser tomadas várias vezes ao dia *antes* da mentruação e durante o primeiro dia do período. Supõe-se que tais produtos ajudem a controlar as cólicas e a reduzir o fluxo menstrual.

Cuidado: Tais produtos contêm aspirina, que pode causar as reações citadas acima; contêm também cafeína, que é fonte de metil-xantinas, consideradas como fator nos tumores de mama e também culpado pela insônia, nervosismo e irritabilidade. Há um produto livre de aspirina, que contém acetaminofen (veja os riscos acima) e pamabromo, que é usado para tratamento de asma e de problemas bronquiais, tendo também efeito diurético. Contém também maleato de pirilamina, que é um anti-histamínico (Reações anti-histamínicas não fazem parte do quadro da SPM. Assim não sabemos por que é incluído na fórmula.). Esses produtos também podem causar sonolência e seu uso é arriscado durante a gravidez ou amamentação. Podem também causar irritação estomacal.

Ibuprofen. Um analgésico ou calmante da dor que, segundo dizem, é mais eficaz como bloqueador de prostaglandinas. Diz-se que é particularmente eficaz para as dores causadas pelas cólicas menstruais. Em maio de 1984, a Food and Drug Administration aprovou a comercialiazação do ibuprorfen em doses menores, como calmante da dor que não necessita de prescrição médica. Anteriormente, só poderia ser adquirido sob prescrição, nas dosagens de 300, 400 e 500 mg. É agora comercializada sob diversas marcas. O ibuprofen é o primeiro analgésico a ser lançado no mercado sem necessidade de prescrição, desde a liberação do acetaminofen, em 1955. Na forma comercializada, a dosagem é inferior a 200 mg. Diz-se que é extremamente eficaz em diminuir a ação das prostaglandinas e em acalmar a dor.

Cuidado: É arriscado para pacientes sensíveis à aspirina. Não poderá ser usado se você tiver asma, inchaço (edema), urticária ou paralisia. Muito embora esse produto não contenha aspirina ou salicilatos, podem ocorrer reações cruzadas, em pacientes alérgicos à aspirina. Devido ao fato de poder causar azia, desordens ou dores estomacais, diz-se que é mais seguro quando ingerido com leite ou algum outro alimento. É proibido às mulheres grávidas, porque pode causar problemas ao bebê ou complicações durante o parto.

O ibuprofen não deve ser tomado juntamente com outras drogas. Seu uso deve ser discutido com seu médico. Não deve ser tomado, nos casos de dor, por mais de dez dias e, para os casos de febre, por mais de três dias. Contudo diz-se que, para muitas portadoras de SPM, traz alívio como qualquer droga antiprostaglândina não esteróide.

Pílulas anticoncepcionais. Diz-se que os contraceptivos orais reduzem a disfunção, especialmente nos casos de dismenorréia espasmódica. Impedem a ovulação e, portanto, a produção de progesterona. Isso resulta em períodos menstruais livres de dor. Uma vez que há redução no espessamento do endométrio, o fluxo menstrual também se reduz. Essa pode ser a razão para uma contração menos dolorosa. Teoricamente, a produção hormonal reduzida evita a produção de prostaglandinas.

Cuidado: O uso da pílula traz consigo muitos efeitos colaterais. Ela contém progestógenos (progesterona sintética), que reduzem os níveis orgânicos naturais e piora o já existente desequilíbrio estrógeno/progesterona. Isso pode exacerbar alguns sintomas da SPM. Você pode sentir dores de cabeça mais fortes, depressão, alteração de humor, fadiga e aumento de peso mais acentuados. A Dra. Katharina Dalton relata que, num estudo realizado num hospital, de 44 mulheres com SPM que tomaram a pílula 40 desenvolveram efeitos colaterais. Ela chama a atenção para uma pesquisada realizada na Inglaterra, cobrindo todo o país, na qual 81% das mulheres com enxaqueca menstrual disseram que a pílula lhes causava dores de cabeça ainda mais fortes.

As portadoras de SPM precisam equilibrar os hormônios de seus organismos. A pílula faz o oposto, ao criar um *desequilíbrio*. Algumas mulheres, que usam descontinuamente a pílula, se queixam de que seus sintomas retornaram com mais severidade e que nunca mais conseguiriam se "recobrar".

Diuréticos. Você quer se livrar do inchaço e da água e o médico lhe prescreve um diurético (Alguns são vendidos sem prescrição.). A maioria dos diuréticos à venda contém furosemida e tiazidas, especialmente. Eles eliminam o excesso de líquidos, mas com desvantagens.

Cuidado: Juntamente coma grande quantidade de líquidos drenados, também são perdidos vitaminas e minerais importantes (especialmente potássio, necessário à saúde cardíaca.). Tais drogas interferem com o equilíbrio natural entre hormônios e líquidos, o que é uma reação indesejável, uma vez que a SPM é causada por um desequilíbrio e os diuréticos podem piorá-la. Você pode experimentar vertigens, náuseas, diarréia, reações alérgicas (como urticária e coceiras) e delírios.

Você pode achar que é seguro tomar um diurético prescrito por um médico que *não* elimine o potássio de seu organismo. Isso poderia causar um excesso, que poderia predispor a rítmo cardíaco irregular e irritação do trato gastrintestinal. Você pode, então, alimentar-se com uma dieta pobre em potássio, o que poderia ser bastante difícil, uma vez que este mineral é encontrado numa grande variedade de frutas, hortaliças, carnes e peixes. Sua vida se tornaria muito difícil, ao tentar manter estáveis os níveis de potássio com tal alimentação. E você ainda correria o risco de sofrer os efeitos colaterais comuns aos outros diuréticos. Para algumas pessoas, mesmo uma dose moderada de diurético pode causar letargia, fraqueza, sede excessiva, câimbras e dores musculares.

Seria muito melhor utilizar uma alimentação livre de sal, que reduzisse a retenção de líquidos em seu organismo. Isso seria mais saudável.

CAFEÍNA - ANALGÉSICOS

Teoricamente, a cafeína pode elevar a pôtencia da aspirina ou outro analgésico comercialmente disponível, segundo uma equipe de pesquisadores liderada por Eugene M. Laska, do Instituto de Pesquisa Rockland, em Orangeburg, N. Y. Cerca de 30 analgésicos usados por 10.000 pacientes foram estudados por um período de 20 anos. A maioria dos analgésicos que continham cafeína eram apresentados em comprimidos de 65 mg (dosagem média de 130 mg).

Laska explica: "Estamos falando da quantidade de cafeína de uma ou duas xícaras de café. Simplesmente tomar uma xícara de café juntamente com o analgésico poderia não funcionar, devido aos outros constituintes químicos do café". Ele fala de alguns estudos que mostram que a cafeína acelera a ação do acetaminofen em 20 a 30%. A maioria dos indivíduos testados, entre outros problemas, sofriam de dores decorrentes de cólicas uterinas.

"Devido ao fato de a maioria dos analgésicos comercialmente vendidos poderem ser tóxicos, se os usuários ultrapassarem as doses máximas recomendadas", diz William T. Beaver, M.D., das Escolas de Medicina e Odontologia da Universidade Georgetown, em Washington, D. C., "esses achados são especialmente significativos". Ele acha que a cafeína poderia ser "um caminho seguro e útil para se aumentar a eficácia do analgésico".

O problema decorrente desse método é que a cafeína age como diurético e como estimulante do sistema nervoso central. Quando as suas glândulas já se encontram num tumulto e os seus nervos tensos, usar a cafeína poderia ser como colocar mais lenha na fogueira.

Após uma pesquisa abrangente, vários especialistas juntamente com a FDA disseram que, "quando usada nas doses orais recomendadas de 100 a 200 mg, com uma freqüência não inferior a três ou quatro horas, a cafeína pode ser segura como ingrediente adjuvante do analgésico, naqueles produtos disponíveis comercialmente". Mas é eficaz? Segundo a FDA, "há alguma evidência inconclusiva que sugere que a cafeína pode exercer analgesia adicional (alívio da dor), através de ação adjuvante, quando usada em combinação com outros analgésicos".

A FDA também observa que a teobromina (um alcalóide que existe no cacau, chocolates e chá, considerado similar à cafeína) "compartilha várias ações farmacológicas com ... a cafeína". *Mas*: "Todas elas estimulam o sistema nervoso central, agem sobre os rins, aumentando a diurese, estimulam o músculo cardíaco e relaxam os músculos lisos, notadamente o músculo bronquial". A teobromina dilata as coronárias e outras artérias; foi usada antigamente no tratamento de angina. Para a vítima da SPM seria pouco sábio usar a cafeína ou a teobromina para um já ultra-estimulado sistema endócrino. E você dificilmente gostaria de usar uma droga para o coração no tratamento de dores estomacais.

Além disso, uma vez que a cafeína e a teobromina são encontradas em outros produtos, você poderia não se dar conta da elevação do nível das mesmas em seu organismo. Esse excesso poderia piorar seus sintomas, sem que você soubesse a razão. Assim, é bom usar o bom senso e se acautelar em relação ao uso de tais estimulantes.

10

ERVAS QUE AJUDAM A COMBATER OS "PROBLEMAS FEMININOS"

Os remédios naturais ou à base de ervas vêm sendo usados para tratar a SPM desde aqueles tempos em que esta era considera um "problema feminino", mas ainda não tinha sido identificada devidamente. Atualmente verificamos que tais ervas podem aliviar e acalmar. São úteis no alívio de espasmos e contrações. Muitos preperados quimioterápicos modernos constituem versões sintéticas de ervas, de modo que é bastante válido utilizar tais plantas. Porém, muito embora as ervas sejam naturais, podem causar reações farmacológicas poderosas, quando tomadas em grandes quantidades ou quando misturadas com outros ingredientes. Use as ervas com moderação e siga as recomendações de seu médico.

Segundo Mark Bricklin, autor da *Practical Encyclopedia of Natural Healing*[1], "a tradição herbática enfatiza o valor de várias plantas no tratamento da menstruação problemática. O cohosh negro e o cohosh azul são ambos considerados úteis nos casos de amenorréia. Devem ser usadas com moderação. Um produto comercial, que há muito tempo está no mercado, contém cohosh negro e uma série de outras ervas numa base alcoólica. O álcool não é utilizado simplesmente para dar um toque de bebida fermentada ao preparado. O cohosh negro, como uma série de outras ervas, é muito mais solúvel no álcool do que na água. A simples fervura da erva em água liberaria apenas uma pequena quantidade da essência."

"Ele continua: "Uma xícara de chá de gengibre quente é também um outro velho remédio, assim como o poejo e cordão-de-são-francisco. Também conhecido como raiz da vida, o gengibre é um regulador feminino considerado valioso no tratamento de todos os tipos de problemas gineco-

1. *Enciclopédia Prática de Cura Natural.* (N. T.)

lógicos menores. Como o cohosh negro, é mais solúvel em álcool.

"Se você for preparar esta ou outra erva semelhante em casa, primeiro ferva-a em água, deixe esfriar, acrescente um pouco de conhaque e deixe em repouso por alguns dias.

"Nos tempos antigos, muitas ervas eram preparadas dessa maneira e é difícil dizer quanto do alívio resultante era devido às ervas e quanto era devido ao conhaque!"

QUATRO ERVAS PARA ACALMAR PERÍODOS DOLOROSOS

Para acalmar espasmos dolorosos, a tradição sugere o uso de quatro ervas, que prometem alívio rápido. Estas são descritas pelo Dr. Joseph Kadans, especialista em ervas, que salienta que a eficácia das mesma é reconhecida há séculos. E elas vêm ganhando popularidade também nos tempos atuais.

1. *Erva-cidreira.* Também conhecida como melissa. Use as folhas secas, com ou sem as sumidades floridas. Apenas um punhado de tais folhas, secas ou frescas, colocado em água quente, por dez minutos, e adoçado com mel, já é suficiente para a obtenção de um chá relaxante. A erva cidreira também pode ser tomada fria, colocando meio litro de água fervente sobre um punhado da erva, deixando em repouso por cerca de quinze minutos, coando e deixando esfriar. Pode ser bebida livremente para aliviar períodos dolorosos. Tem um sabor suave e um aroma semelhante ao do limão.

2. *Viburno.* Também conhecido como espinheiro-preto e abrunheiro-americano. Use a casca seca da raiz ou do caule. Sua ação normaliza o útero, através da contração dos tecidos orgânicos moles. Protege contra a menstruação dolorosa (dismenorréia) e também acalma as dores mensais em geral. Os herbalistas recomendam um colher de sopa a cada quatro horas. Para preparar a erva, pegue um punhado da mesma e mergulhe-o totalmente em meio litro de água, aquecida até o ponto de abrir fervura. Deixe em repouso por quinze minutos. Depois tome a colher de sopa recomendada a cada quatro horas, antes e durante o período menstrual.

3. *Ergotina.* Também chamada de ergotina de centeio, um alcalóide extraído da cravagem de centeio (um tipo de ferrugem causada por um fungo). Os herbalistas sugerem o uso do extrato fluido. O Dr. Kadans explica que a ergotina "tem sido amplamente usada em casos de desordens

menstruais, tais como leucorréia (descarga esbranquiçada proveniente da vagina e da cavidade uterina), dismenorréia e amenorréia (ausência ou interrupção da menstruação)''. As dosagens variam de dez a trinta gotas do extrato fluido.

4. *Visco*. Diz-se que as folhas dessa erva egem como tônico em casos tais como dismenorréia e amenorréia. A dosagem exata deve ser discutida com o médico.

O Dr. Kadans elogia muito o uso das ervas como parte de um programa de cura total, que inclui o alívio da SPM.

MAIS ERVAS QUE ACALMAM OS SINTOMAS MENSAIS

O autor-pesquisador Dr. Jack Ritchason escreve, na *The Little Herb Encyclopedia*[2]: ''Uma combinação de ervas corretivas dos problemas femininos pode ajudar em muitos problemas menstruais. O cohosh negro é utilizado para acalmar as cólicas. Uma combinação de ervas analgésicas ajuda a aliviar o desconforto das cólicas menstruais. O cohosh azul é um remédio freqüentemente usado para regular o ciclo menstrual''.

Ele acrescenta: ''Acredita-se que as câimbras musculares sejam causadas por uma deficiência de cálcio, Assim, uma combinação de ervas ricas em cálcio, alfafa e vitaminas B e E é recomendada. O cohosh negro, quando usado em grande quantidade, pode causar dores de cabeça.''

O Dr. Ritchason sugere as seguintes ervas, como parte de uma abordagem natural para tratamento da SPM: angélica, loureiro, bistorta, erva-doce, gengiana, gengibre, selo-de-ouro, verbena azul, camomila, confrei, damiana, falso unicórnio, lúpulo, visco, mirra, salsa, hortelã, tanchagem, framboesa vermelha, açafrão, sálvia, salsaparilha, erva-de-são joão, casca de carvalho branco, betônica, mil-folhas.

Os farmacêuticos herbalistas e as lojas de produtos naturais que oferecem tais serviços, podem preparar uma combinação popular, que, dizem, ajuda a regular os níveis hormonais e, assim. reduzir a SPM. A combinação inclui os extratos fluidos de: lobélia, selo-de-ouro, folhas de framboesa vermelha, raiz de cohosh negro, raiz de altéia, raiz de gengibre e pimenta-de-caiena.

2. *Pesquisa Enciclopédia das Ervas*. (N. T.)

Cuidado: Devido às diferenças orgânicas existentes entre as mulheres, as dosagens precisas devem ser prescritas, individualmente, por um especialista.

Devido ao fato de a hipófise (glândula pituitária) estar tão intimamente envolvida com o ciclo menstrual, uma combinação herbácea que regule a função dessa glândula é muito bem-vinda. A importância da mesma é citada por Frank d'Amelio, um doutor em ciência botânica, que explica: "A glândula pituitária regula a atividade tireoideana, contrai os vasos sanguíneos (ação vasoconstritora), regula a diurese (produção de urina), através da vasopressina e oxitocina, e regula muitas outras glândulas. Produz os hormônios do crescimento, bem como o hormônio tirotropina, que controla certas fases da gravidez e do ciclo menstrual".

Segundo o Dr. d'Amelio, para regular a hipófise, "Combine os seguintes extratos fluidos: alecrim, gotukola, casca de freixo espinhoso e pimenta-de-caiena. dosagem: 10-15 gotas, três vezes ao dia". Tais ervas encontram-se disponíveis sob forma de extrato líquido (para uma assimilação mais rápida) em muitas lojas de produtos naturais ou nas farmácias naturalistas.

ERVAS DIURÉTICAS

A conhecida herbalista Jeanne Rose freqüentemente sugere o uso das ervas como diuréticos naturais. Novamente é preciso ter cuidado, pois as ervas podem ser bastante poderosas. Use apenas as dosagens e fórmulas prescritas por um profissional para o seu caso particular.

Jeanne Rose indica as seguintes plantas, como meios naturais de se induzir a ação diurética: raiz de aspargo, pulsátila (também chamada de flor-da-páscoa) — que é um antiespasmódico e útil nos problemas menstruais — semente de abóbora, folhas de morangueiro, giesta escocesa (sementes e brotos, algumas vezes usados como raiz de dente-de-leão).

Ao discutir as ervas com seu médico, pergunte sobre os métodos de preparação, armazenagem e uso. Uma vez que cada erva é diferente, é preciso obter informações específicas.

Diuréticos Suaves: Embora mais suaves do que as outras ervas, devem ser utilizados com cuidado: chá de dente-de-leão, chá de casca de sabugueiro, chá de folhas de bucha. Você pode usar ainda hortaliças tais como a salsa, o agrião, o aipo e o pepino. Prepare-as como salada, diariamente; são suaves e, obviamente, naturais. Mas, novamente, a regra é a moderação.

Cuidado: Se você tiver qualquer efeito colateral, não importando se causado por erva diurética ou qualquer outro produto ou remédio à base de ervas, é melhor parar de usá-los. Se tiver reações tais como dores estomacais, náusea, fraqueza incomum, pulso rápido, palpitações cardíacas, vertigens, cansaço incomum, dores de cabeça, diarréia ou vômitos, é melhor ir rapidamente discutir com seu médico. Tais sintomas podem sugerir que o produto que está usando não é especialmente adequado à sua condição em particular. Talvez seja necessária uma mudança.

Para o desconforto geral, uma boa xícara de chá de ervas, adoçado com mel e um pouquinho de limão, é indicação segura. Sua loja de produtos naturais deve ter uma boa variedade de chás populares, que a ajudarão a se sentir e é justamente isso o que você quer, quando nas garras da SPM.

11

VIVER MAIS SAUDAVELMENTE (E MAIS FELIZ) COM A MENSTRUAÇÃO

Exceto em situações extremas, você não pode viver sem os seus ciclos mensais. São um fato biológico da vida. Mas você pode viver sem as dores e o *stress* que os acompanham. Fazendo ajustes simples em seu estilo de vida, você pode se ajudar a lutar contra a SPM e a diminuir o peso dessa carga.

Eis aqui um conjunto de orientações que a ajudarão a atravessar o ciclo com um mínimo de sintomas. Quanto mais e melhor você seguir tais orientações, melhores serão os resultados.

1. O calor moderado é confortante. Você pode obtê-lo através de uma bolsa de água quente, toalhas quentes ou mesmo um banho de vapor. Quando confortável e aprovado pelo médico, o calor pode ser aplicado à região pélvica, havendo com isso a dilatação dos vasos sanguíneos congestionados e conseqüente alívio das cólicas. Experimente também outras formas de aquecimento: um banho de chuveiro ou de imersão quente ajuda a relaxar os músculos tensos. Isso também a acalma mentalmente. E lembre-se também de tomar chás de ervas e outras bebidas quentes livres de cafeína, bem como sopas, mas evite o sal e o açúcar.

2. As massagem também faz muito bem às vítimas da SPM. A fricção suave, feita por um profissional, na região de seu abdômen (especialmente estômago) e nas costas, relaxará seus músculos. É especialmente benéfica, quando se utiliza para a fricção um creme ou ungüento próprio para aquecimento profundo.

3. A educação física é um fator a mais em seu programa de controle da SPM. Você precisa se exercitar. Porém, não é preciso exagerar. Se fizer rotineiramente exercícios de alongamento e relaxamento, você explorará aqueles músculos bloqueados. Planeje exercitar-se de 20 a 30 minutos

diariamente antes, durante e depois de seu período menstrual. Uma boa idéia é fazer exercícios ao longo de todo o mês, de modo a relaxar seu útero e exercitar aqueles músculos rígidos, que podem ser alvo de câimbras. O exercício regular cria uma circulação sanguínea mais saudável, que, muito mais do que um diurético, induz a perda natural de água. Os exercícios aeróbicos (*jogging*, natação, subir e descer escadas) realizados regularmente, ajudam a melhorar a sua disposição, agem como calmantes, pois funcionam como tranqüilizantes naturais.

4. Oxigene o seu organismo através de respirações rítimicas e profundas. Em muitas aulas sobre parto natural ensina-se respiração profunda, porque ela acalma a dor. Esse mesmo princípio da oxigenação ajuda a tornar a sua SPM menos severa.

5. Evite o fumo. Afaste-se das pessoas que fumam, pois o fumo poderia afetar seu sistema bronquial e reduzir a sua circulação. Isso pode causar mais cólicas. Evite qualquer área enfumaçada.

6. O álcool ainda constitui uma incógnita. Em quantidades pequenas, age como um bom vasodilatador; dilata vasos contraídos, permitindo uma circulação melhor. Alguns especialistas dizem que, se você insiste em tomar o seu "aperitivo", então pode tomar um copo de vinho ou acrescentar uma ou duas colheres de chá de licor a seu chá de ervas. Isso ajuda a reduzir o ataque violento das prostaglandinas, causadoras de contrações uterinas, e a acalmar o seu sistema nervoso central. Um drinque de vez em quando, se precisar tomá-lo, pode oferecer um alívio temporário em relação aos espasmos, fazendo com que se sinta um pouquinho melhor. Veja, porém, se pode passar sem ele, uma vez que o álcool não é uma substância saudável.

7. Fuja do excesso de peso, pois ele é um dos fatores mais diretamente responsáveis pela SPM. A razão é que os tecidos adiposos de seu organismo liberam uma quantidade adicional de estrógeno, que aumenta a espessura do revestimento uterino. Isso pode levar a um fluxo mensal mais forte. Os estímulos causados por esse excesso hormonal podem elevar a quantidade de prostaglandinas liberadas, aumentando a dor. Para ajudar a quantidade excessiva de prostaglandinas, controle seu apetite e o seu peso.

8. Vista roupas que façam sentir-se bem. Mas evite aquelas muito apertadas, que pioram a sua circulação e o desconforto pélvico. Não use calcinhas nem cintas, cintos ou jeans muito apertados.

9. O relaxamento e o sono são ambos bastante eficazes na redução da dor menstrual. Experimente cochilar. Você acordará com cólicas menos severas e com mais energia também. Acima de tudo, procure dormir muito bem à noite, todas as noites. Dormir pouco ou não dormir causam tensão e pioram a situação. Você deve também fazer algumas "paradinhas" ao

longo do dia. Esses repousos freqüentes tornarão mais fácil a sua luta.

10. Diga "não" ao sal sob qualquer forma, tanto no liquidificador, quanto na panela ou nos produtos embalados. Use ervas e temperos flavorizantes. Escolha produtos embalados livres de sal, que podem ser encontrados nas casas de produtos naturais, mas também nos grandes supermercados. Leia sempre os rótulos.

11. Diga "não" ao açúcar. Assim você poderá se resguardar do excesso de peso e de hipoglicemia. O mel, em quantidades pequenas, é permitido. E para matar sua vontade por doces, tome sucos de frutas frescas.

12. Aumente a sua ingestão de ácido cis-linoléico, que é especialmente encontrado no óleo de açafrão. Ele inicia a formação de prostaglandina E1 (PGE1), que ajuda a acalmar os seus problemas com SPM.

13. Evite situações estressantes. Elas podem exacerbar sua resposta hipoglicêmica e piorar os sintomas. Embora você não possa evitar o *stress*, pode se condicionar a evitar situações estressantes ou, pelo menos, se preparar para lutar contra elas, de modo a não ter um desconforto excessivo.

14. Você deve dar ênfase aos carboidratos complexos em sua alimentação. Eles podem ser encontrados nos cereais integrais, nas frutas frescas, bem como nas hortaliças, legumes e leguminosas (feijões, vagem, fava, ervilha etc.) frescos. Estes carboidratos manterão a estabilidade de seus níveis sanguíneos de glicose, e de modo a evitar os ataques de insulina ou efeito "ioiô" causado pelos carboidratos refinados. Experimente também comer queijos e iogurtes (livres de sal e açúcar, por favor), nozes, sementes de girassol e pipoca (sem sal nem óleo).

15. Admitido o fato de que a SPM é um assunto pessoal, talvez seja necessário explicar o problema às pessoas com as quais convive, tanto em casa, quanto no trabalho ou na escola ou qualquer outro lugar. Uma ou duas palavras a algumas pessoas capazes de compreender tornarão a vida mais fácil para todo mundo.

Vejamos agora as três categorias nas quais se inclui a maioria das mulheres e como evitar os conflitos e manter a boa forma física e mental, através de atitudes simples.

A DONA-DE-CASA

Você tem uma vantagem em relação às mulheres que trabalham fora, pois fica em casa a maior parte do tempo, mas pode ter problemas com seu marido e/ou filhos. E pode ter ainda dificuldades extras, se você se arrasta pela casa, atordoada e lamuriosa, sentido-se miserável.

Ao invés disso, siga um esquema. *Dê-se tempo* para realizar todas as tarefas diárias. Sem pressa — mas não se permita ficar naquele estado semicomatoso em que acorda. Dê-se alguns momentos na cama, antes de se levantar. Ponha seus pensamentos e músculos em ordem. Planeje suas atividades do dia.

Arrume-se mesmo que vá apenas ficar em casa. Uma roupa mais vistosa, um perfume, um pouquinho de maquiagem podem elevar seu moral.

Arrume a casa. Faça a limpeza necessária. Se você tem um companheiro e/ou filhos, prepare-se para a chegada dos mesmos à tarde. Arrume os quartos deles também. Certifique-se de que tudo está em ordem e o mais confortavél possível. Sua "melancolia" se evapora, quando faz coisas para os outros. Isso também ajudará a manter a sua mente ocupada.

Se você se sente de mãos amarradas, mesmo assim ainda pode gerenciar suas atividades domésticas. Faça apenas aquelas mais necessárias, tais como limpar a casa e preparar as refeições. Não faça serviços pesados, se estiver com sintomas mais sérios da SPM.

Compromissos fora de casa, tais como dentista, manicure, esteticista ou o que quer que seja, podem ser adiados para outro dia, mas apenas se você acha que não pode controlar sua SPM. De outro modo, estar com outras pessoas pode alegrá-la.

Nunca, mas nunca mesmo, fique andando pela casa, sentido pena de si mesma. não se jogue na cama. Não fique parada. Seu panorama mental está nebuloso. Você precisa se manter razoavemente ativa.

Procure observar o programa de seis refeições diárias. Um desjejum rico em carboidratos complexos é muito melhor do que lanches freqüentes à base de hortaliças de baixas calorias. Faça também um bom almoço e um bom jantar, com várias minirrefeições ao longo do dia. Mas lembre-se: as refeições devem ser nutritivas e dentro dos limites calóricos. Reserve também um tempinho para fazer exercícios em casa. Apenas 30 minutos podem ajudar a eliminar qualquer tensão.

Explique a seu marido que está bem no meio de sua SPM. Se você mora com outros parentes, deixe-os saber disso também. O fato de saberem de sua situação opera maravilhas em suas relações, pois eles passam a compreender melhor suas reações e, além de sua simpatia, podem lhe oferecer ajuda, quando necessário.

É também muito útil falar de seu problema com um ouvinte amigo — um assistente social, um padre, um médico, um parente, um amigo íntimo ou qualquer outra pessoa, que possa entender a situação que está atravessando. Falar de seus temores pode ajudar a espantá-los e isso é importante, se você fica sozinha durante o dia.

Não se isole. Uma caminhada pela vizinhança faz bem. Visite algum local de recreação. Faça um lanche em alguma praça tranqüila. Visite lojas e museus. Tudo o que a mantém ativa não causa tensão, ajuda a manter sua mente afastada da SPM e funciona como um tônico. Procure equilibar a rotina doméstica com a recreação, com ou sem a sua família. Isso a tornará mais capaz de lutar melhor contra seus sintomas.

A MULHER QUE TRABALHA FORA DE CASA

Você pode se sentir como uma mártir pela manhã, se tiver de ir trabalhar sentido os sintomas da SPM. Vá em frente. Se estiver sentido uma dor cruciante, estão é melhor telefonar para seu chefe e ficar em casa. Antes de tudo, você tem responsabilidades no trabalho e não poderá cumpri-las, se estiver doente. Mas, se mesmo assim, puder lidar com elas, então vá em frente.

O transporte até o trabalho deve ser cuidadosamente considerado, se você vai até lá dirigindo o seu próprio automóvel e estiver experimentando sintomas severos. Dores de cabeça muito fortes, reações a remédios ou desordens emocionais podem torná-la uma motorista perigosa. É melhor usar o transporte coletivo ou pegar uma carona.

NÃO esqueça as regras sobre a alimentação, mesmo que tenha de sair de casa para trabalhar. Um bom desjejum, alguma fruta fresca, um copo de água mineral ajudarão a elevar sua taxa sanguínea de glicose. Planeje comer alimentos nutritivos em alguns restaurantes durante o dia de trabalho. Impossível? Então leve de casa a sua refeição.

Reserve um tempinho para se arrumar melhor. Se for necessário, disfarce o inchaço com roupas adequadas. É importante tornar-se mais atraente. Você verá que isso melhora o seu ânimo.

Antes de sair para trabalhar, faça dez ou quinze minutos de exercícios, pois isso ajuda a liberar qualquer tensão. Ajuda também a melhorar a circulação e a clarear a sua mente. Você irá se sentir mais capacitada para enfrentar as suas responsabilidades.

Esteja preparada para algum *stress* no trabalho. Raro é o dia de trabalho que se passa sem algum problema. Se você estiver com sintomas incomuns, confie-os a um supervisor compreensivo. Adie compromissos importantes. Reduza a sua carga de trabalho. Aqui, novamente, você precisa da cooperação de seu superior. Quaisquer decisões sérias deverão também ser adiadas para depois do término de seu ciclo.

Um *kit* de "primeiros-socorros" da SPM deve estar sempre à mão, na sua mesa de trabalho ou na sua bolsa. Ele pode incluir itens tais como: pedaços de hortaliças preparadas pela manhã, pedaços de queijo sem sal, pequenos cubos de sobras de carne, coxas de frango ou peru, saquinhos de chá de ervas, cubinhos de sopa sem sal, crackers de trigo integral (sem sal nem açúcar); uma maçã, pêra ou banana, nozes e sementes. Lembre-se: você não quer ficar sentido fome; um estômago "roncando" pode disparar sérias reações. Uma vez que está trabalhando, não pode ir toda hora à geladeira. É preciso ter os alimentos à mão. Algum chá confortadoramente quente é também um bom relaxante.

Programe suas tarefas. Assim poderá realizá-las diligentemente, mas não ao ponto da exaustão. É melhor sair durante o seu período de almoço. Uma breve caminhada ao ar livre e sob o sol fará com que se sinta melhor. Uma mudança de cenário espanta a fadiga e eleva o moral.

Há uma "pausa para o café"? Como já sabe, não deve tomar bebidas que contenham cafeína. Por que não experimentar a meditação nessa hora? Relaxe. Feche os olhos. Respire profundamente. Visualize um céu estrelado, os jardins multicoloridos de um castelo fantástico, uma praia, a beleza de um arco-íris. Apenas deixe seus pensamentos irem e virem. Contemple a maravilhosa imensidão do universo. Depois de apenas 15 minutos, você estará se sentido como que refrescada, como se tivesse ultrapassado os limites da estratosfera e, depois, retornado.

De volta ao trabalho, evite qualquer tarefa pesada ou desagradável. Elas podem piorar sua condição. Mas para isso, novamente é preciso contar com o auxílio de seu superior. Assim, explique-lhe a situação. Você quer fazer a sua parte, mas, durante esses poucos dias, você preferiria atividades mais condizentes com a sua condição. Você será capaz de cumprir suas obrigações com o auxílio de um supervisor compreensivo.

Em casa, mime-se um pouco. Passe algumas de suas obrigações para os outros e, então, apenas relaxe. Isso acalmará o *stress* do dia, permitindo-lhe dormir à noite e, conseqüentemente, encarar com mais otimismo o dia seguinte.

A ESTUDANTE

Se você é uma estudante portadora de SPM, precisa ajustar-se à situação. Mas não fique apenas sofrendo... faça alguma coisa!

Naturalmente é essencial que se mantenha um calendário. Desse modo, será capaz de reconhecer quando o período está se aproximando. Explique-o à sua família. Sim, você pode sentir vergonha, sentir-se insegura, mas sofrer em silêncio é pior. Será muito melhor se preparar para enfrentar a situação.

Muitas garotas ficam embaraçadas com a sensibilidade dos seios. Use sutiãs mais confortáveis. Se necessário, discuta o problema com o médico da família. Tem vergonha por ele ser homem? Então, consulte uma médica, se isso a fizer se sentir melhor. Informe-se a respeito das desordens emocionais e a maneira de controlá-las. Falar pode ajudar a espantar os seus temores.

Espere algum aumento de peso, devido à retenção de líquidos. Não se assuste com o peso marcado na balança. Quando o ciclo estiver terminado, você perderá água e o peso também. Se você usar o calendário menstrual adequadamente, notará que há uma corrspondente redução na quantidade de urina excretada nos primeiros dias do ciclo. Os líquidos vão sendo acumulados e serão eliminados quando o ciclo tiver terminado.

Parece que as adolescentes, durante a SPM, têm uma propensão maior aos excessos alimentares. As alterações hormonais, uma deficiência de ácidos graxos essenciais e o deslocamento de água podem todos aumentar o seu apetite. Se a sua alimentação for rica em alimentos gordurosos e doces, então estará propensa a ganhar peso, bem como a apresentar um desequilíbrio nos níveis sanguíneos de glicose.

Para contra-atacar, faça um desjejum mais saudável. Idem para o almoço. E lembre-se: inclua alguns lanches ricos em proteínas e em carboidratos complexos, como os sugeridos anteriormente, para ajudar a acalmar esses ataques de fome. Coma mais hortaliças cruas, ao invés de tomar refrigerantes adocicados e outros doces. Sede? Experimente tomar um copo de leite desnatado ou um suco de fruta sem açúcar.

Você poderá também notar inchaço nos dedos, pulsos, tornozelos e estômago. Se anéis, braceletes, pulseiras, cintos ficarem apertados ou se o mesmo ocorrer com os sapatos, faça algumas mudanças. Use roupas mais confortáveis e evite jóias e bijuterias. Após alguns dias tudo volta ao normal.

Procure facilitar o máximo possível a sua vida escolar. Admitindo-se que você não pode pedir a seu professor para adiar uma prova, você poderá fazê-la, no que se refere a outras obrigações, explicando que não está se sentido bem e perguntando se tais obrigações podem ser adiadas. Uma conversa com o professor ou com o orientador educacional poderá ajudá-la a resolver os problemas.

Sentindo-se letárgica? Incapaz de se concentrar? Sentindo-se inquieta durante uma prova? Prepare-se para tais possibilidades, dormindo bastante na noite anterior, alimentando-se bem durante o dia, fazendo exercícios ao ar livre ou qualquer outra atividade que faça sentir-se bem. Se você seguir as orientações dadas neste livro, terá mais energia física e mental do que normalmente e um bom desempenho constante em relação às tarefas que tem de realizar.

SENTINDO-SE MELHOR AGORA ?

Com os mistérios desvendados e com uma compreensão maior do seu organismo, você deve estar se sentindo melhor ao saber que pode fazer alguma coisa em relação aos seus desconfortos menstruais.

Sua bisavó talvez tenha dito que "se sentia fora do chão". Sua avó algumas vezes chamou-a de "maldição". Sua mãe se referia a ela como "aqueles dias do mês". Durante gerações citada eufemisticamente e envolta em mistério e superstição, a menstruação é agora discutida abertamente, freqüentemente em voz alta, através dos meios de comunicação e em casa.

A medicina moderna e a psicologia estão desbastando os mitos relativos à menstruação. Estão fornecendo uma base científica para o tratamento da SPM, que ajudará você a ter uma vida reprodutiva mais saudável e livre de preocupações. Através de um cuidado consigo mesma, do uso da nutrição, da educação física e de métodos modernos para o alívio da dor, você pode começar a se sentir melhor — talvez já no próximo mês.

LIVROS PARA UMA NOVA CONSCIÊNCIA

EDITORA GROUND

AGENDA TARÔ - *Viviane Malhamé (2059)*
ALHO, O - *Marco Natali (2001)*
ALIMENTAÇÃO INFANTIL VEGETARIANA - *Eliane Lobato (2124)*
ALIMENTAÇÃO MACROBIÓTICA, A - *Márcio Bontempo (2039)*
ALIMENTAÇÃO NATURAL, A - *Jane Gould (2040)*
ALIMENTAÇÃO NATURAL PARA BEBÊS - *Marilene Tombini (2126)*
ALIMENTAÇÃO VEGETARIANA, A - *Jane Gould (2041)*
ALIMENTOS NATURAIS MILAGROSOS, OS - **Robert Dudley** *(1416)*
ALQUIMIA INTERIOR - *Zulma Reyo (2042)*
ARROZ INTEGRAL, O - *Yoshio Hatano (2003)*
ARTE DA ALQUIMIA E A PEDRA FILOSOFAL, A - *S. Tomás de Aquino (1487)*
ARTE DA CULINÁRIA VEGETARIANA, A - *Josef Duft (2149)*
ARTE DE MORRER, A - *Bhagwan Shree Rajneesh (1335)*
ASTROLOGIA ESOTÉRICA - *Sheila Shalders (2122)*
AURÍCULO ACUPUNTURA - *Eu Won Lee (2131)*
BASES FUNDAMENTAIS DO IRISDIAGNÓSTICO - *Márcio Bomtempo (2119)*
BROTOS - *Akira Nakayama (1548)*
CÂNDIDA, UMA DOENÇA DO SÉCULO XX - *Shirley S. Lorenzani (2060)*
CASAS QUE MATAM - *Roger de Lafforest (1755)*
CATÁLOGO ASTRAL - *J. Canali (2109)*
COMBINAÇÃO DOS ALIMENTOS, A - *Doris Grant/Jean Joice (2140)*
CONFREI - *Benjamin Patten (1451)*
CONTROLE NATURAL DA NATALIDADE - *Margaret Nofziger (2114)*
CONTROLE NATURAL DO STRESS - *David Hoffmann (2157)*
CONTROLE A SAÚDE DOS SEUS DENTES COMENDO BEM - *Ana Maria G. Santos (2162 - Prelo)*
CONTROLE SUA ALERGIA COMENDO BEM - *Robert Weil (2163 - Prelo)*
CONTROLE SEU COLESTEROL COMENDO BEM - *Robert Weil (1355)*
CONTROLE SEU DIABETES COMENDO BEM - *Robert Weil (1384)*
CRIANÇA LIVRE (UMA VISÃO HOMEOPÁTICA E HOLÍSTICA) *Carlos Brunini/ Carlos Sampaio (2068)*
COSMÉTICA NATURAL - *Sally Chitwood (2138)*
CURA NATURAL DA GRIPE, A - *Allan Russel (1495)*
CURA NATURAL DA INSÔNIA, A - *Barbara Child (1578)*
CURA NATURAL DA HIPERTENSÃO, A - *Allan Silverman (1538)*
CURA NATURAL DA QUEDA DE CABELO, A - *Edmond Smith (2015)*
CURA NATURAL DO REUMATISMO E ARTRITE, A - *Albert Vorster (2164 - Prelo)*
CURA NATURAL DAS VARIZES, A - *Gian Camillo Donadi/Valéria Mugnai (2165 - Prelo)*
CURA NATURAL PELA MACROBIÓTICA, A - *Michio Kushi (2135)*
DIETA PARA UM PEQUENO PLANETA - *Frances Moore Lappé (2143)*
DIAMBA SARABAMBA - *Anthony Henman/Oswaldo Pessoa Junior (2152)*
DICIONÁRIO DE SAIS MINERAIS - *Leonard Mervyn (2144 - Prelo)*
DICIONÁRIO DE VITAMINAS - *Leonard Mervyn (2142 - Prelo)*
DO-IN - LIVRO DOS PRIMEIROS SOCORROS (vol.1) - *Juracy Cançado (2101)*
DO-IN - LIVRO DOS PRIMEIROS SOCORROS (vol.2) - *Juracy Cançado (2030)*
DO-IN PARA CRIANÇAS - *Juracy Cançado (2168)*
DO-IN TÉCNICA ORIENTAL DE AUTO-MASSAGEM - *Jacques de Langre (2103)*
DO-IN MAPA DOS MERIDIANOS CHINESES - *Juracy Cançado/Luis C. de Andrada/ Márcio de Castro (2102)*
DOZE CHAVES DA FILOSOFIA, AS - *Frei Basile Valentin (1488)*
DROGAS E ESTADOS SUPERIORES DA CONSCIÊNCIA - *Andrew Weil (2141)*
ELEMENTOS DE ACUPUNTURA - *Attí lio Marins (1183)*
ENTRADA ABERTA AO PALÁCIO ABERTO DO REI - *Irineu Filaleto (1489)*
ERVAS QUE CURAM - *Robert Weil (1424)*
EU POSSO FALAR - *Manuel David Coudris (2054)*
ÊXTASE, A LINGUAGEM ESQUECIDA - *Bhagwan Shree Rajneesh (1349)*
FENG-SHUI (A CIÊNCIA DO PAISAGISMO SAGRADO NA CHINA ANTIGA) - *Ernest J. Eitel (2148)*
FIBRAS NATURAIS NA ALIMENTAÇÃO - *Alcides Bontempo (2137)*
FRUTAS, AS - *Marco Natali (1385)*
FRUTAS TROPICAIS - *Eric Randall (1472)*
FRUTOS OLEAGINOSOS, OS - *Benjamin Patten (1329)*
GINSENG - *Nathan S. Bennet (1441)*
GLOSSÁRIO TEOSÓFICO - *Helena P. Blavatsky (2023)*
GRAVIDEZ, O PARTO E OS CUIDADOS COM O BEBÊ, A - *Alice Feinberg (2113)*
GUARANÁ, O - *Anthony Henman (1459)*

GUIA PRÁTICO DO USO CORRETO DOS PRODUTOS NATURAIS - *Márcio Bontempo/ Yara F. Vieira (2055)*
HORTA EM SEU APARTAMENTO, A - *Magno Dadonas (1425)*
HORTA ORGÂNICA EM SEU QUINTAL - *Magno Dadonas (2160)*
I CHING-STEPS - *Roberto Campadelo (2026)*
INICIAÇÃO À CAPOEIRA - *Mestre Santana (2146)*
INICIAÇÃO AO NATURALISMO - *Vilberto A. Felipe (2145)*
INTRODUÇÃO À MACROBIÓTICA E DIETA DOS 10 DIAS - *Marcio Bontempo (2115)*
IRIDOLOGIA O QUE OS OLHOS PODEM REVELAR - Celso Batello (2062)
JARDIM DO ÉDEN À ERA DE AQUARIUS, DO - *Greg Brodsky (2104)*
LANCHE DE BOLSO DO NATURALISTA, O - *Leonel Wallace (2154)*
LIBERDADE ATRAVÉS DA ALIMENTAÇÃO - *Yona Teeguarden (2105)*
LIMÃO E LARANJA, O - *Arnold Shaker (2044)*
LIVRO DA MEDICINA NATURAL, O - *Márcio Bontenpo (2107)*
LIVRO DO CHÁ, O - *Francis Rohmer (2155)*
LIVRO DO DO-IN, O - *Michio Kushi (2133)*
LIVRO DA MAGIA SAGRADA, O - *Abramelim, o Mago (2027 - Prelo)*
LIVRO DA SOJA, O - *Jane Cadwell (2111)*
LIVRO DO SHIATSU, O - *Sohaku Bastos (2121)*
MAIS DELICIOSAS, REQUINTADAS E EQUILIBRADAS RECEITAS DA CULINÁRIA NATURAL BRASILEIRA, AS - *Márcio Bontempo (2123)*
MARAVILHAS CURATIVAS AO ALCANCE DE SUAS MÃOS - *Marco Ribeiro (2129)*
MEDICINA NATURAL: PRIMEIROS SOCORROS - *Jacques Bernard (2153)*
MEDITAÇÃO, O CAMINHO INTERIOR - *Naomi Humphrey (2056)*
MEL, O - *Bernard Masson (1494)*
MEL DE ABELHAS - TEORIA E PRÁTICA DA VIDA DO APICULTOR
MORTE ORGANIZADA, A - *Luiz Carlos Maciel (1097)*
NATAÇÃO PARA BEBÊS - *Marí lia/José A. Fontanelli (2150)*
80 EXERCÍCIOS RESPIRATÓRIOS DE SVÁSTHIA YOGA - *Anna M.M. de Castro (2019)*
PÃES NATURAIS - *Romélia C. A. Meyer (2151)*
PALAVRAS DE FOGO - *Bhagwan Shree Rajneesh (1277)*
PEQUENO MANUAL DO JOGADOR DE CAPOEIRA, O - *Nestor Capoeira (2118)*
PERMACULTURA UM - *Bill Mollison/David Holmgreen (2132)*
PÓLEN, O - *Bernard Masson (2166)*
POR UM NASCIMENTO CONSCIENTE - *Haroldo e Flávia de Faria Castro (2130)*
PRÓPOLIS - *Bernard Masson (1437)*
QUE VOCÊ PRECISA SABER SOBRE NUTRIÇÃO, O - *Alcides Bontempo (2125)*
RECEITAS MACROBIÓTICAS - *Alcides Bontempo (2116)*
REMÉDIOS CASEIROS - *Barbara Graig (2139)*
RÉQUIEM PARA OS ÍNDIOS - *Felicitas Barreto (1149)*
REVISTA VIDA NATURAL: Nº 1 *(1265)* - **Nº 2** *(1274)* - **Nº 3** *(1282)* - **Nº 4** *(1293)* - **Nº 5** *(1378)*
SAL ASSASSINO - *Marieta Whittlesey (2120)*
SALADAS NATURAIS - *Arnold Shaker (1417)*
SHANTALA (ARTE TRADICIONAL: MASSAGEM PARA BEBÊS) - *Frédérick Leboyer (2147)*
SHIATSU DOS PÉS DESCALÇOS - *Shizuko Yamamoto (2134)*
SÍNDROME PRÉ-MENSTRUAL - *Carlson Wade (2061)*
SOBREMESAS NATURAIS - *Alcides Bontempo (2128)*
SOJA E O AMENDOIM, A - *Benjamin Patten (1251)*
SUCOS NATURAIS, OS - *Marco Natali (2046)*
SUGAR BLUES - *William Dufty (2106)*
TARÔ, OU A MÁQUINA DE ADIVINHAR - *Alberto Cousté (2047)*
TARÔ EGÍPCIO - *Viviane Malhamé (2058)*
TEU NOME É OLGA (CARTAS A MINHA FILHA MONGOLÓIDE) - *Josep M. Espinàs (2053)*
TOFU - *Jane Cadwell (2127)*
TRIUNFO HERMÉTICO, O - *Limojon de Saint-Didier (2048 - Prelo)*
UNIVERSO PARALELO DA LOUCURA, O - *Eliezer C. Mendes (2158)*
VITAMINAS - *George Bushner (2049)*
VOZ DO SILÊNCIO, A - *Helena P. Blavatsky (2057)*
WUSHU KUNG FU - *E. Zhaouha (2064)*
YOGA PARA EXEPCIONAIS - *Sonia Sumar (2050)*
YOGA PARA PESSOAS DINÂMICAS - *De Rose (2110)*
YOGURTE - *Bernard Green (1502)*

GROUND